अंतरिक्ष क्वीन

सुनीता विलियम्स

अंतरिक्ष क्वीन

सुनीता विलियम्स

निर्भय कुमार

भारतीय पुस्तक परिषद्
नई दिल्ली—110002, भारत

ISBN : 978-81-955171-8-3

अंतरिक्ष क्वीन **सुनीता विलियम्स**
निर्भय कुमार

प्रकाशक
भारतीय पुस्तक परिषद्
3320-21, जटवाड़ा, नेताजी सुभाष मार्ग
दरियागंज, नई दिल्ली-110002

संस्करण : 2025 **₹ 400.00**

आवरण : अमित कुमार

कम्प्यूटर कम्पोजिंग : कल्याणी कम्प्यूटर सर्विसेज,
नई दिल्ली

मुद्रक : अजीत प्रिंटिंग प्रेस, दिल्ली

ANTRIKSH QUEEN SUNITA WILLIAMS
by NIRBHAY KUMAR
Price : ₹ 400.00

Published By
BHARTIYA PUSTAK PARISHAD
3320-21 Jatwara, Netaji Subhash Marg,
Daryaganj, New Delhi - 110002, INDIA
Helpline No. : +917065507086
Mobile : +919811607086, +919868934715
E-mail : samayikprakashan@gmail.com
Website : www.samayikprakashan.com

अनुक्रम

कौन है सुनीता

आसमान की ऊंचाईयों को लक्ष्य बनाने वाली जिस सुनीता को आज दुनिया सलाम कर रही है, उसे पहले बहुत कम लोग जानते थे। वह भीड़ में वैसे ही गुम थी, जैसे एक आम आदमी। बेशक वह फिर भी आम नहीं थी। अमेरिका नौ सेना की हेलीकॉप्टर पायलट भला आम कैसे हो सकती है!

हर सूरत में मुस्कराती दिखने वाली इस महिला का जन्म 19 सितंबर, 1965 को यूक्लिड (ओहियो) संयुक्त राज्य अमेरिका में हुआ था, लेकिन वह नीधम (मैसाचुसेट्स) को अपना होम टाउन (गृह नगर) मानती है। इनके पति हैं माइकल जे. विलियम्स। दोनों की कोई संतान नहीं है। बच्चों की कमी पूरा करते हैं इनके कुत्ते। दोनों को, खासकर गोर्बी से ज्यादा प्यार है। प्यार इतना कि अंतरिक्ष से भी सुनीता उसे हर पल याद करती रही। डॉ. दीपक और बोनी पांड्या की

इस बेटी का परिवार बस इतना ही है। 27 मई को दोनों ने शादी की सत्रहवीं वर्षगांठ मनाई।

सुनीता का बचपन नीधम में ही बीता था। इसलिए उसकी आरंभिक पढ़ाई-लिखाई भी वहां हुई। अंतरिक्ष केंद्र पर जाने से पहले उसने बचपन के स्कूल न्यू मैन एलिमेंट्री स्कूल, नीधम के छात्रों से बात भी की। उसने छात्रों को बताया कि किस प्रकार शिक्षक छात्रों के जीवन को प्रभावित करते हैं। उसने विशेष तौर पर अपनी पूर्व शिक्षिका डिनापोली के बारे में उसने दो मुख्य बातें कहीं, 'एक तो उन्हें बच्चों में उत्साह भरना आता था, साथ ही उन्हें जोड़ना भी। इसका असर यह होता था कि छात्रों को अपने काम का एक उद्देश्य नजर आता था।' सुनीता ने जिस पथ को चुना उस पर दस लाख अमेरिकियों में से एक ही चल पाता है। बच्चे यह जानकर खुश हुए कि उनके बीच का कोई व्यक्ति इतनी ऊंचाई तक पहुंच सका है।

सुनीता का अपने स्कूल से बहुत लगाव रहा है। वह कहीं भी, कभी भी अपने स्कूल को नहीं भूली। पानी के भीतर भी नहीं। नासा में ट्रेनिंग के दौरान उसने दो सप्ताह पानी के भीतर गुजारे थे। उस दौरान उसके पुराने स्कूल के छात्रों ने बातचीत की थी। यह सुनीता ही है, जिसके कारण उसके स्कूल का माहौल बदल गया है। स्कूल के बच्चों में नई इच्छा जागी है। हर तरफ उसने एक ही संदेश छोड़ा, 'अगर मैं, तो तुम क्यों नहीं? हर कोई अपने सपनों में रंग भर सकता है। हिम्मत न हारो।' उसके शिक्षक की मानें, वह इतनी विनम्र और सरल है कि उसे अपनी विशिष्टता का भी अहसास नहीं है। यही वजह है कि अब तक उसके बचपन की शिक्षिका डिनापोली के मन से अब तक उसकी तस्वीर हटी नहीं है। आज भी उन्हें उसके बारे में सब याद है। वह बताती हैं कि सुनीता पढ़ाई-लिखाई के साथ-साथ कुशल लीडर भी थी। वह उत्साही थी। हर काम में अपना सर्वस्व डाल देती थी। कभी अपनी तरफ से कोई कसर नहीं छोड़ती थी।

डिनापोली को शुरू से लगता था कि वह कुछ अलग हटकर हासिल करेगी। बकौल डिनापोली, 'वह अन्य छात्रों से अलग थी। हर काम पूरी लगन से करती थी। हर रोज सुबह जल्दी उठना और स्कूल आने से पहले तैराकी का अभ्यास करना उसकी आदत थी। मेरे दिमाग में यह सब इसलिए है कि जब वह स्कूल आती थी तो उसके बाल गीले होते थे। मुझे लगता था कि उसे किसी दिन ओलंपिक में देखूंगी। मुझे इस बात से हैरत नहीं है कि उसने अब तक सीखने का उत्साह बनाए रखा है और सफलता प्राप्त करने के प्रति कटिबद्ध है।'

स्कूल के बाद यूएस नेवल अकादमी और फिर फ्लोरिडा इंस्टीट्यूट ऑफ टेक्नोलॉजी में गई। इसके बाद आया नासा का पड़ाव। सुनीता की शुरू से ही एस्ट्रोनॉट बनने की इच्छा थी। उसके शौक भी आम न थे। उसको पसंद था तो दौड़ना, तैरना, बाइकिंग, ट्रायथलन, विंडसर्फिंग और बो हंटिंग।

सुनीता 1987 में अमेरिकी नौ सेना में भर्ती हुई। इसके बाद उसने पीछे मुड़कर नहीं देखा। भूमध्य सागर, लाल सागर और फारस की खाड़ी में तैनाती के बाद मियामी में चक्रवात आने पर उसने इंचार्ज अफसर की भी भूमिका बखूबी निभाई। नेवी में रहते हुए वह टेस्ट पायलट स्कूल के लिए चुनी गई। यह उसके जीवन में नया मोड़ था। सुनीता के जीवन में परिवर्तन मुख्य रूप से यहीं से शुरू हुआ।

लंबी बालों वाली, छरहरी सुनीता यद्यपि पढ़ने-लिखने में टॉपर नहीं रही, लेकिन जहां रही, भीड़ से अलग पहचान बनाने में सफल जरूर रही। मेहनत और समर्पण को अपना मूल मंत्र बनाए रखा। नेवी में उसे न सिर्फ कई मेडल मिले बल्कि मानवता के लिए बेहतर काम के कारण ह्यूमेनेटेरियन सर्विस मेडल से भी नवाजा गया। तीस हवाई जहाजों को 2 हजार 770 घंटे उड़ाने को अनुभव रखने वाली सुनीता को जब नासा से बुलावा आया तब वह यूएसएस सैपन पर ड्यूटी कर रही थी।

1998 सुनीता की जिंदगी का सबसे महत्त्वपूर्ण वर्ष था। इसी वर्ष उसका नासा में जाने, एस्ट्रोनॉट बनने और अंतरिक्ष के रहस्यों से साक्षात्कार करने का चिर-प्रतीक्षित सपना साकार हुआ। जून, 1998 में चयन के बाद अगस्त में उसने नासा ज्वाइन कर लिया।

इसके बाद ट्रेनिंग और नए सिरे से पढ़ाई का दौर शुरू हो गया। कभी स्पेस शटल की जानकारी दी जाती तो कभी मनोवैज्ञानिक रूप से मजबूत बनाया जाता। इसी दौरान वह रूस भी गई। वहां जाकर उसने यह जाना कि रूस ने अंतरराष्ट्रीय अंतरिक्ष केंद्र (आईएसएस) को क्या दिया। उसने अंतरिक्ष केंद्र पर जाने वाले पहले अभियान दल के साथ भी काम किया। लेकिन उसे उड़ान के लिए लंबा (आठ वर्ष) इंतजार करना पड़ा।

केनेडी स्पेस सेंटर में यात्रा से पूर्व अधिकारियों से मुलाकात

10 दिसंबर, 2006 को जब सुनीता ने अपना अभियान शुरू किया, उसे पता भी न था कि उसका दामन कीर्तिमानों से भर जाएगा। वह भी सब कुछ पहली ही उड़ान में! जबकि लोग कई कई

उड़ान भर, हर उड़ान के साथ जिंदगी को कम करके भी इतना प्राप्त नहीं कर पाते।

सुनीता के पिता उसके जन्म से पहले ही (1958) में अहमदाबाद से अमेरिका आकर बस गए थे। अब मैसाचुसेट्स के फाल्मथ शहर में रह रहे हैं। सुनीता के इस उड़ान के लिए चुने जाने के बाद सुनीता की मां इतनी खुश थी कि जैसे यह मौका उन्हें खुद मिला हो! खुशी के मारे उत्तेजित उसकी मां ने चुने जाने के बाद कहा था, 'अरे! मैं बता नहीं सकती कि कितनी खुशी है। सच तो यह है कि इस अवसर का सुनीता बहुत दिनों से इंतजार कर रही थी। अब उसका अंतरिक्ष में उड़ान भरने का सपना पूरा हो जाएगा। वह बेहद खुश है और हम लोग उसकी खुशी पर खुश हैं।' उड़ान से पहले उसके पिता का कहना था, 'यह भारत के लिए गौरव की बात है। हमारे भारत में तो बहुत बड़े-बड़े वैज्ञानिक और राजनेता हुए हैं, यह भी उन्हीं की उपलब्धि की तरह है।'

सुनीता के लिए इस पल का महत्त्व इसी से समझा जा सकता है कि उसे अंतरिक्ष यात्रा के लिए नासा ने करीब आठ वर्ष पहले चुना था और अवसर अब तक नहीं मिला था। घर में प्यार से 'सनी' बुलाई जाने वाली सुनीता की मेहनत और लगन के सब कायल थे। उसकी मां के मुताबिक बचपन से वह पढ़ने-लिखने के प्रति गंभीर थी, लेकिन इसके साथ ही उसने खेलकूद, तैराकी, पियानो बजाना, बैले डांस आदि सीखना भी जारी रखा। उसी मेहनत का नतीजा अब देखने को मिला है। नासा में सुनीता अपने क्लास की पहली वैज्ञानिक है जो अंतरिक्ष यात्रा के लिए चुनी गई। उसने रूस में रोबोटिक आर्म के साथ गहन प्रशिक्षण भी लिया।

2003 में कोलंबिया हादसे के बाद भारतीय मूल की अंतरिक्ष यात्री कल्पना चावला की मृत्यु के बाद अंतरिक्ष यात्रा के खतरों को भयानक रूप से पेश किया गया था, लेकिन डिस्कवरी की उड़ान से पहले सुनीता

के माता-पिता खतरों को मानने को तैयार न थे। दीपक पांड्या ने स्पष्ट कहा था कि वे सुनीता के फैसले का पूरा सम्मान करते हैं और उनके भीतर किसी प्रकार का कोई डर नहीं है। वह लंबे समय से नौ सेना में है। इस दौरान कई खतरनाक मिशन वह कर चुकी है।

वहीं उसकी मां का कहना था कि खतरे तो हर काम में होते हैं। यहां तक कि कार चलाने में भी। मां बोनी ने यह भी साफ कहा कि वह नकारात्मक विचार दिमाग में नहीं लाना चाहती। उन्हें प्रसन्नता है कि सुनीता अपने सपने की ओर बढ़ रही है। सुनीता की मां के मुताबिक उसने कल्पना चावला से काफी प्रेरणा ली थी। दोनों बहुत अच्छी दोस्त थीं। अंतरिक्ष में जाने के बाद तो सुनीता को तुरंत भारत आने का मौका नहीं मिला, लेकिन वह उड़ान से पहले कई बार आई थी। यह अलग बात है कि हिंदी में अब तक उसका हाथ तंग है।

पांड्या परिवार : एक परिचय

महानता का परिवार और पीढ़ियों से बहुत कम अवसरों पर संबंध देखने को मिलता है। सुनीता और उसके पिता भी इसके अपवादों में से हैं। 1932 में जन्मे दीपक पांड्या ने मेडिकल की पढ़ाई भारत में की, लेकिन यहां पढ़ाई के बाद कुछ समय तक ही रहे। 1957 में उन्होंने गुजरात यूनिवर्सिटी से एम.डी. की डिग्री प्राप्त की। कुछ समय तक जूनागढ़ के एक अस्पताल में उन्होंने इंटर्न के रूप में काम किया। इसके बाद 1958 में अमेरिका चले गए।

दीपक ओहियो में बसे। इसके बाद विभिन्न मेडिकल कॉलेजों और रिसर्च इंस्टीट्यूटों से जुड़ाव हुआ। पांड्या की ख्याति अंतरराष्ट्रीय स्तर के शोधकर्ता की रही है। उनके मार्गदर्शन में काफी संख्या में छात्र पी-एच.डी. कर चुके हैं।

पिता दीपक पांड्या

मां बोनी और बहन डिना पांड्या के साथ

स्लोवेनियाई-अमेरिकी बोनी से शादी करने वाले दीपक पांड्या 1995 में रिटायर हुए। तब से वह बॉस्टन में रह रहे हैं। शोध का काम उन्होंने अब भी नहीं छोड़ा है। वह बॉस्टन यूनिवर्सिटी के डिपार्टमेंट ऑफ एनाटॉमी एंड न्यूरो बायोलॉजी से जुड़े हैं।

श्री पांड्या के परिवार में उनकी पत्नी के अलावा तीन बच्चे हैं। एक बेटा और दो बेटी।

लौट आई सुनीता

अटलांटिस स्पेस शटल के उतरने से पहले की स्थितियां भी अंतरिक्ष की गुत्थियों जैसी विस्मयकारी हो चली थीं। हर मोर्चे पर खतरा। पहले यान के थर्मल ब्लैंकेट में दरार और उसके बाद लौटने से ठीक पहले अंतरिक्ष केंद्र (आईएसएस) के कंप्यूटर में खराबी। ये दोनों समस्याएं किसी प्रकार अंतरिक्ष में निबटा ली गईं। लेकिन समस्याएं यहीं खत्म नहीं हुईं। यान जब अंतरिक्ष केंद्र से धरती के लिए रवाना हुआ तो खराब मौसम और ईंधन के खत्म होने का खतरा पैदा हो गया। भयंकर असमंजस की स्थिति थी। दुनियाभर में प्रार्थनाओं का दौर शुरू हो गया। कल्पना चावला के उस स्कूल तक के बच्चों ने प्रार्थनाएं की जिसमें वह पढ़ी थी। पूरे देश और दुनिया की स्थिति उस बच्चे जैसी थी जो बार-बार मां से पूछ रहा हो, 'अब क्या होगा इसके बाद?'

मां के रूप में नासा मानो दिलासा दिला रहा हो—सब ठीक है। धरती की बेटी सितारों की दुनिया से सकुशल लौटेगी। लेकिन जानकारों को इस बात से संतुष्टि नहीं थी। जानकार ही क्या, अटलांटिस के थर्मल ब्लैंकेट में हुए चार गुना छह के छेद ने नासा के वैज्ञानिकों की नींद उड़ा दी। दुनियाभर में कल्पना चावला जैसे हादसे की पुनरावृति की आशंका जताई जाने लगी। लेकिन सकते में जी रहे लोगों ने प्रार्थनाओं का दामन नहीं छोड़ा। नासा के वैज्ञानिकों ने हालांकि स्पेस वॉक वगैरह के बाद कहा कि थर्मल ब्लैंकेट में दरार की समस्या को पूरी तरह सुलझा लिया गया है। उसकी मरम्मत हो गई है, इसके बावजूद लोगों में कहीं न कहीं संशय बना रहा। बाद में तो स्वयं सुनीता ने भी माना कि वह बहुत मुश्किल दौर था। उसके लिए ही नहीं, सभी के लिए।

लौटने के बाद अटलांटिस यात्रियों का ग्रुप फोटो

अटलांटिस यानी एसटीएस 117 के यात्रियों को जब अंतरिक्ष से चलने की अनुमति दी गई, तब पूरी दुनिया ने थोड़ी राहत भरी सांस ली। लेकिन यह क्या, यान पृथ्वी के वायुमंडल से दूर ही था

कि तभी कनेडी स्पेस सेंटर इलाके में मौसम के खराब होने की खबर ने एक बार फिर लोगों को चिंता में डाल दिया। तब केनेडी स्पेस सेंटर के प्रवक्ता ने आश्वस्त किया कि घबराने जैसी कोई बात नहीं है। उनके पास पर्याप्त समय है। बस, वे किसी प्रकार का खतरा मोल नहीं लेना चाह रहे हैं। दुनिया चाहे जो सोचती रही, नासा ने वाकई खतरा मोल नहीं लिया। एसटीएस 117 के यात्रियों को 21 जून 2007 को उतरना था, लेकिन उस दिन खराब मौसम के कारण दो प्रयासों के असफल होने पर उन्हें एक दिन और अंतरिक्ष में ही बने रहने का निर्देश दे दिया।

इधर धरती पर सब्र का बांध टूटने लगा। प्रार्थनाएं और तेज हो गईं। मीडिया में विशेष कार्यक्रम दिखाए जाने लगे। एक-एक पहलू से लोगों को अवगत कराया जाने लगा। सुनीता, भारत भले ही गिने-चुने मौकों पर आई हो, अपने पिता की जन्मभूमि को बहुत करीब से भले ही न देखा हो, न ही यहां के बारे में ज्यादा जानती हो, लेकिन इन बातों से इस देश पर फर्क नहीं पड़ा। उसके भारतीय मूल का होना ही भारतीयों के लिए बहुत था। टैगोर बाल निकेतन, जहां कल्पना चावला बचपन में पढ़ी थी, वहां के छात्रों ने ही नहीं, शिक्षकों ने भी सुनीता की सकुशल वापसी के लिए प्रार्थना की। वहां के प्राचार्य राजन लांबा ने तब कहा था, 'हमारे भीतर भय-सा समा गया है। हम चाहते है कि कल्पना जैसा हादसा फिर कभी किसी के साथ न हो।'

भावुक श्री लांबा ने विनती की, 'हे भगवान, हे सर्वशक्तिमान! सुनीता को सुरक्षित वापस लौटा लाना। विश्वास है इस बार आप हमारी सुनेंगे।'

लगा, सुनीता के ऊपर संकट मात्र की संभावना ने पूरे देश में प्रार्थना की ज्योति जला दी। हरियाणा ही नहीं पंजाब के अमृतसर, गुजरात के अहमदाबाद और आंध्रप्रदेश के हैदराबाद तक में स्कूली बच्चों ने तन-मन से सुनीता की सकुशल वापसी की प्रार्थना की। बिहार,

उत्तर प्रदेश में भी कई स्कूलों में ऐसी प्रार्थनाएं की गईं। बिहार के एक स्कूल में तो हनुमान चालीसा का पाठ भी किया गया। हैदराबाद के ऑल सेंट्स स्कूल ने भी सुनीता की वापसी के लिए बड़े स्तर पर प्रार्थना सभा की। यहां की एक छात्रा प्रियंका का कहना था, 'हम उनकी सुरक्षित वापसी की कामना करते है। भविष्य में वह ऐसे और काम करे और भारत के गौरव को बढ़ाए।' वहीं स्कूल के प्रिंसिपल सेल्वा रेड्डी का कहना था, 'सुनीता की उपलब्धियां सिर्फ उसके लिए ही महान नहीं है। इससे देश भी महान बना है। हम भारतीयों के लिए यह बड़ी बात है। हमारा देश युवाओं का देश है और वह उनकी प्रेरणा है।'

अंतरिक्ष में सबसे ज्यादा समय बिताकर लौट रही इस महिला के गुजरात में रह रहे परिवार समेत पूरे देश ने उसकी कुशलता के लिए प्रार्थनाओं में कोई कसर नहीं छोड़ी। भारतीय मूल की पहली महिला अंतरिक्ष यात्री कल्पना चावला के मां-बाप ने भी सुनीता को सफल होने का न सिर्फ आशीर्वाद दिया, बल्कि उसे छोटी बेटी कहकर संबोधित किया। भावना की लहर में वे भी अपने-आपको रोक न सके। वैसे यह उनके लिए सिर्फ भाव-प्रवाह भर नहीं था। सुनीता से उनका बहुत पुराना रिश्ता था। सुनीता, कल्पना के अंतिम संस्कार के मौके पर भी भारत आई थी।

यह वाकई वह दौर था जब सुनीता को दुआओं की जरूरत थी। मिशन विशेषज्ञ सुनीता और उसके छह साथी 21 जून से धरती के वायुमंडल के ऊपर अटके हुए थे। उन्हें इंतजार था तो सिर्फ नासा के अगले आदेश का ताकि वे लैंडिंग के लिए पृथ्वी के वायुमंडल में प्रवेश कर सकें। गुरुवार को उन्हें दो बार तैयार कराया गया, लेकिन अंतिम क्षण पर मना कर दिया गया। सुनीता और उसके साथियों का पूरा दिन इसी प्रकार बीत गया।

वैज्ञानिकों के लिए इसमें सोचने को ज्यादा न था। इतने बड़े मिशन के हिसाब से यह सामान्य बात थी, लेकिन लोगों को वैज्ञानिकों

की बातों में बहुत पेचीदगियां नजर आ रही थीं। सब की अपनी राय थी। जितनी जुबां, उतनी बातें, लेकिन नासा ने पूरी आश्वस्तता दिखाई। बृहस्पतिवार को उतरना संभव न होने के तुरंत बाद ही शुक्रवार को पांच मौकों की घोषणा कर दी गई। नासा की ओर से यह भी कहा गया कि सिर्फ शुक्रवार ही नहीं, उनके पास शनिवार और रविवार का दिन भी है। इन तीनों दिनों को मिलाकर काफी अवसर हैं और घबराने जैसी कोई बात नहीं है। उतरने के अवसरों के अलावा यह भी बताया गया कि केनेडी स्पेस सेंटर ही नहीं, उनके पास एडवर्ड एयर बेस और व्हाइट सैंड्स बेस का भी विकल्प मौजूद है। जिज्ञासुओं को इन बातों से काफी राहत मिली।

नासा के वैज्ञानिक मौसम विज्ञानियों के साथ मिलकर पल-पल मौसम पर नजर रख रहे थे। इन लोगों ने बृहस्पतिवार को ही कह दिया कि शुक्रवार को भी केनेडी एयर बेस के आसपास के इलाकों में मौसम खराब रह सकता है। हुआ भी ऐसा ही। 22 जून को भी केनेडी स्पेस सेंटर पर उतरना संभव नहीं हो पाया। पहले प्रयास के असफल होने पर एडवर्ड एयर बेस (कैलिफोर्निया) में उतरने की अनुमति दी गई। पहले पहल यहां भी मौसम को लेकर थोड़ी चिंता जताई गई थी, लेकिन सब ठीक रहा और 195 दिन बिताकर धरती की बेटी धरती पर सकुशल वापस आ गई। भारतीय समय के अनुसार अटलांटिस शुक्रवार की रात 1 बजकर 19 मिनट पर रनवे-22 पर उतरा। हालांकि इस कवायद में ग्यारह मिलियन डॉलर का अतिरिक्त खर्च आया। नासा ने लैंडिंग के लिए सुरक्षा की पूरी व्यवस्था की थी।

शुक्रवार के दिन यान में सवार अंतरिक्ष यात्रियों ने सुबह से ही धरती के सफर की तैयारी शुरू कर दी थी। एक-एक चीज की चेक लिस्ट बनाई गई। कंप्यूटरों की जांच-पड़ताल की। यह निश्चित किया

कि हर काम शेड्यूल के मुताबिक हो। इस दौरान वे बीच-बीच में नींद लेने के साथ धरती का नजारा भी देखते रहे। उसके साथ छह अन्य यात्री भी उतरे। दिसंबर, 2006 में अंतरराष्ट्रीय अंतरिक्ष केंद्र पर जाने के छह महीने से भी ज्यादा समय बाद धरती को देखना उसके लिए बेहद रोमांचक अनुभव रहा। वह भाव विह्वल हो उठी। यद्यपि धरती पर उतरते ही उसके लिए कुछ भी कहना मुश्किल था, लेकिन भावनाओं को वह भी रोक नहीं सकी। उसे यह भी समझ नहीं आ रहा था कि ऐसे में कैसे और क्या कहे? अपने प्रति लोगों का स्नेह देख उसकी आंखें भर आईं थीं।

अटलांटिस के सितारे

यूं तो हर अंतरिक्ष यान से सितारे ही उतरते हैं, लेकिन अटलांटिस के यात्री कई मायने में खास रहे। इन लोगों ने कई गंभीर समस्याओं का सामना किया। इनकी सबसे बड़ी उपलब्धि रही अटलांटिस को उतरने लायक बना सकना। अगर इनसे थोड़ी-सी भी चूक हुई होती तो एक और बड़ा हादसा हो सकता था, जिसके कारण न सिर्फ अमेरिका के अंतरिक्ष कार्यक्रम को झटका लगता, बल्कि अंतरिक्ष की दिशा में कदम बढ़ा रहे देशों को कई बातों पर फिर से विश्वास करना पड़ जाता। अटलांटिस से सुनीता समेत छह अंतरिक्ष यात्री और उतरे। लेकिन सुनीता का स्थान लेनेवाले क्लेटन एंडरसन भी अटलांटिस से ही अंतरिक्ष केंद्र पर गए। अटलांटिस की जून, 2007 की यात्रा में कुछ आठ यात्री शामिल हुए।

रिक स्ट्रकोव

कमांडर। रिक इससे पहले दो बार अंतरिक्ष में जा चुके थे। 1998 में इन्होंने अंतरिक्ष केंद्र के पहले एसेंबली मिशन में पायलट की भूमिका निभाई थी।

पैट्रिक फॉरेस्टर

मिशन विशेषज्ञ की हैसियत से गए पैट्रिक अमेरिकी सेना से कर्नल के पद से रिटायर हुए थे। यह उनकी दूसरी उड़ान थी। पहली उड़ान में 50 वर्षीय पैट्रिक ने स्पेस वॉक किया था।

जॉन डैनी ओलिवस

ओलिवस भी मिशन विशेषज्ञ थे। यह उनकी पहली अंतरिक्ष यात्रा थी। इन्हें दो स्पेस वॉक का जिम्मा सौंपा गया था। शिकार और सर्फिंग के शौकीन ओलिवस पांच बच्चों के पिता हैं।

क्लेटन एंडरसन

मिशन विशेषज्ञ। पहली यात्रा। लेकिन ये अटलांटिस के साथ उतरे नहीं, बल्कि सुनीता विलियम्स के स्थान पर अंतरराष्ट्रीय अंतरिक्ष केंद्र में रुक गए। 48 साल के एंडरसन की खेलों में गहरी रुचि है। कॉलेज और हाई स्कूल की बॉस्केटबॉल टीमों के प्रशिक्षक रह चुके हैं। अक्तूबर, 2007 तक अंतरिक्ष केंद्र पर रहनेवाले एंडरसन को सुनीता के कामों को आगे बढ़ाने का जिम्मा सौंपा गया।

स्टीवन स्वैंसन

मिशन विशेषज्ञ। पहली उड़ान। एक स्पेस वॉक का अनुभव। उम्र 46 साल। प्यार से स्वानी पुकारे जाते हैं। स्कीइंग के शौकीन।

जिम रैली

मिशन विशेषज्ञ। अमेरिकी नौ सेना के लेफ्टिनेंट। दो बार अंतरिक्ष यात्रा का अनुभव। ओलिवस के साथ स्पेस वॉक का जिम्मा सौंपा गया था। टेक्सास के निवासी। उम्र 53 साल।

सुनीता विलियम्स

मिशन विशेषज्ञ। अमेरिकी नौ सेना की कमांडर। पहली अंतरिक्ष यात्रा। चार स्पेस वॉक के साथ कीर्तिमान। मैराथन का कीर्तिमान और सबसे ज्यादा दिन रहने का किसी महिला द्वारा स्थापित कीर्तिमान।

ली एर्केमबल्ट

पायलट की भूमिका। पहली यात्रा। अमेरिकी एयरफोर्स से संबद्ध।

क्यों लेट हुआ अटलांटिस

अंतरिक्ष केंद्र के अंतरराष्ट्रीय स्वरूप के कारण यहां के सिस्टम भी मिले-जुले हैं। कुछ सिस्टम रूसी तकनीक पर आधारित हैं, तो कुछ अमेरिकी। अटलांटिस अंतरिक्ष केंद्र पर ठीक प्रकार पहुंच गया था, लेकिन इसके अंतरिक्ष केंद्र पहुंचने के बाद एक के बाद एक समस्याएं आती रहीं। इनमें दो समस्याएं मुख्य रहीं। पहली अंतरिक्ष केंद्र पर लगे कंप्यूटरों में खराबी और दूसरी अंतरिक्ष यान के थर्मल ब्लैंकेट में दरार। अंतरिक्ष केंद्र पर मुख्य भूमिका रूसी कंप्यूटरों की है। इनमें खराबी आने से सब कुछ करीब-करीब 48 घंटे तक ठप-सा हो गया था। अंतरिक्ष केंद्र के संचालन से लेकर पानी, जीवनरक्षक प्रणालियां तक। सभी चीजों को ये कंप्यूटर ही चलाते हैं। इन कंप्यूटरों के बिना अंतरिक्ष केंद्र को उचित कक्षा में बनाए भी नहीं रखा जा सकता। लिहाजा पहले इसे ठीक करना जरूरी समझा गया। कंप्यूटर की तीनों लाइनें खराब थीं। किसी प्रकार कंप्यूटर ठीक हो गए। अंतरिक्ष यात्रियों को यह सोचने का भी अवसर नहीं मिला कि खराबी कैसे आई?

इसके बाद थर्मल ब्लैंकेट की समस्या से निबटा गया। उड़ान भरते समय ही अटलांटिस के थर्मल ब्लैंकेट में दरार आ गई थी। इसलिए इस बार नासा ने पूरी सतर्कता बरती। इसकी मरम्मत के कारण अंतरिक्ष केंद्र से अटलांटिस की रवानगी एक दिन के लिए टाल दी गई।

कैसे हो मरम्मत?

थर्मल ब्लैंकेट की मरम्मत किस प्रकार हो जो कि निर्वात में कारगर सिद्ध हो सके। सामने कई विकल्प थे। इसके लिए या तो स्पेस सीविंग किट का इस्तेमाल किया जाए या फिर इसे इंजीनियरिंग टेप या विशेष गोंद आदि से चिपकाया जाए। टेप के इस्तेमाल को मिशन प्रबंधन टीम के अध्यक्ष जॉन शेनन ने स्वयं नकार दिया। कहा, 'ये टेप निर्वात में ज्यादा कारगर नहीं होते।' इसलिए क्षतिग्रस्त हिस्से का अंतरिक्ष से भेजे गए फोटो के आधार पर स्पेस वॉक का निर्णय लिया गया। लेकिन साथ ही यह भी कहा गया कि अगर दरार को ठीक नहीं किया जा सका तो अटलांटिस की वापसी और टल सकती है।

लौटने लायक हुआ अटलांटिस

दो अंतरिक्ष यात्रियों जेम रैली और डॉन डेनी ओलिवस ने मरम्मत के लिए स्पेस वॉक किया। दरार छोटी अवश्य थी, लेकिन क्रिटिकल थी। दोनों साढ़े आठ घंटे तक थर्मल ब्लैंकेट से जूझते रहे तब कहीं जाकर अटलांटिस लौटने लायक बन सका।

क्या है थर्मल ब्लैंकेट?

थर्मल ब्लैंकेट यानी ऊष्मारोधी कवच। यह कवच यान के वायुमंडल से निकलते और उसमें घुसने के दौरान पैदा होने वाली ऊष्मा से यान को बचाता है। इसमें थोड़ी बहुत गड़बड़ी भी भारी पड़ती है। 2003 में कल्पना चावला का यान कोलंबिया इसी गड़बड़ी के कारण हादसे का शिकार हुआ था। इसमें कल्पना समेत सभी सात यात्री मारे गए थे।

अंतरिक्ष यान : लैंडिंग एक चुनौती

वायुमंडल की चुनौती

अंतरिक्ष यान के लिए उड़ान भरना उतना कठिन नहीं होता, चुनौती होती है वायुमंडल में प्रवेश करना। वायुमंडल में प्रवेश करते समय यान की गति करीब 28 हजार किलोमीटर प्रति घंटे की होती है। इस गति पर वायुमंडल में प्रवेश करने पर घर्षण से कारण समस्या पैदा होने की आशंका रहती है। विशेषतः आग लगने की।

तापमान

पृथ्वी के दायरे में आते ही यान के आसपास का तापमान चार हजार डिग्री सेंटीग्रेड तक पहुंच जाता है। सर्वाधिक तापमान यान के

ऊपरी और बाहरी हिस्से में होता है। इस हिस्से का तापमान 1,593 डिग्री सेंटीग्रेड तक पहुंच जाता है। कल्पना चावला को धरती पर वापस ला रहे कोलंबिया यान के साथ दुर्घटना इसी स्थिति में हुई थी। यान के वायुमंडल में आते ही बाहरी हिस्से में लगे ऊष्मारोधी फोम के हट जाने से भयंकर हादसा हुआ था। यान को इतने भयंकर ताप से बचाने के लिए एक विशेष ऊष्मारोधी कवच से ढका जाता है। इसे ही थर्मल ब्लैंकेट का नाम दिया जाता है। थर्मल ब्लैंकेट में छोटा-सा छेद भी अंतरिक्ष यात्रियों के लिए जा़नलेवा बन जाता है।

यान पर नियंत्रण और लैंडिंग

यान का एएफटी स्टीयरिंग जेट उसे 40 डिग्री अक्षांश पर स्थिर रखने में सहायता करता है। वायुमंडल में प्रवेश के बाद अंतरिक्ष यान एक सामान्य वायुयान की तरह उड़ने लगता है। दो हजार फीट पर आते ही कमांडर यान की गति को नियंत्रित करने की कोशिश करता है। इसके लिए पैराशूट का प्रयोग किया जाता है। ये पैराशूट खोल दिए जाते हैं और गति नियंत्रित हो जाती है।

कैसे बनी एस्ट्रोनॉट

आसमां क्या बताएं हम अभी से कि मेरे दिल की हसरत क्या है!

जी हां, यही अंदाज, यही आगाज रहा बीते दिनों में आसमान की मल्लिका सुनीता विलियम्स का। जाने कितने मोड़ आए और कितनी ही बाधाएं, लेकिन सुनीता ने हिम्मत नहीं हारी और धैर्य बनाए रखा। ऐसा भी वक्त आया जब उसे सोचना पड़ा कि अब क्या करे? कोलंबिया यूनिवर्सिटी में अपना नाम रोशन करे अथवा अपने लंबे खूबसूरत बालों को कटवा कर नेवल एकेडमी ज्वॉइन करे?

ऐसा करने से पहले सुनीता बिल्कुल ही अनभिज्ञ थी कि एस्ट्रोनॉट प्रोग्राम होता क्या है! अंततः उसने नेवल एकेडमी ज्वाइन करने का निर्णय लिया। लेकिन कहते हैं कि हर इंसान का एक भाग्य होता है। सुनीता ने नेवल एकेडमी में यह सोचकर कि सागर की गहराइयां भी कम रोमांचक नहीं होतीं, प्रवेश ले तो लिया, लेकिन किस्मत कुछ और खेल

दिखाने वाली थी। सुनीता गोताखोर, बनना चाहती थी, लेकिन बाधाएं थी कि पीछा ही नहीं छोड़ रही थी। गोताखोरी के लिए सिर्फ एक ही व्यक्ति का चयन होना था। वह भी एकेडमी में श्रेष्ठ अंकों के आधार पर। सुनीता को किस्मत एक बार फिर दगा दे गई। श्रेष्ठ अंक प्राप्त करने वाली कोई और थी और गोताखोरी के लिए उसे ही चुना गया।

सुनीता को निराशा तो हुई, लेकिन उसने हिम्मत नहीं हारी। उसने सुना था कि एस्ट्रोनॉट स्मार्ट लोग ही हुआ करते हैं। इससे ज्यादा कोई और जानकारी उस समय तक सुनीता को नहीं थी। कुछ बातें जो एस्ट्रोनॉट से जुड़ी थीं जिसका आधार 'द जेटसन' और 'लॉस्ट इन स्पेस' रहा। इसी आधार पर सुनीता ने एस्ट्रोनॉट की परिकल्पना कर ली थी। उस समय तक उसे स्वयं पता नहीं था कि वह लम्हा भी आएगा, जब वह भी खुद एस्ट्रोनॉट होगी। यही नहीं, धरती से सैकड़ों मील दूर अंतरिक्ष में 195 दिन रहकर विश्व कीर्तिमान बनाएगी और स्पेस क्वीन कहलाने का गौरव हासिल करेगी।

नेवल अकादमी में निराश सुनीता का ध्यान फ्लाइट स्कूल की ओर गया। जेट पायलट का सपना उसकी आंखों के सामने घूमने लगा। मन ललचाने लगा। लेकिन कहते हैं न सफलता की सीढ़ी काफी टेढ़ी होती है, अतः एक बार फिर किस्मत ने अपना रंग दिखाया और जेट पायलट के लिए सिर्फ दो महिला जेट पायलट की नियुक्ति का अवसर आया।

सुनीता ने फ्लाइट के हर अवसर पर अच्छा प्रदर्शन किया था, लेकिन उतना नहीं जितना कि कुछ और महिला पायलटों ने। इस कारण एक बार फिर उसे मन-पसंद काम नहीं मिल पाया। अंततः सुनीता ने अपने सपनों को हेलीकॉप्टरों में साकार होता देखा। जब पहली बार सुनीता ने हेलीकॉप्टर उड़ाया तो वह कह उठी, 'मैंने आज से पहले कभी कोई हेलीकॉप्टर नहीं उड़ाया, लेकिन यकीनन यह एक बहुत रोमांचकारी अनुभव था।' हेलीकॉप्टर पर उड़ान भरते हुए धरती की जो छटा थी वह

अद्वितीय और निराली थी और अगर पहले (स्पेस) को छोड़ दें तो यह मात्र दूसरी अनुपम छटा बिखेरने वाली रही। इसके बाद वह अपने स्क्वाड्रन की टेस्ट पायलट नियुक्त की गई। इस प्रकार वह फ्लाइट स्कूल से टेस्ट पायलट स्कूल तक पहुंची। वहां से नासा का अवलोकन कर सकी। सुनीता के लिए एस्ट्रोनॉट की दुनिया की तरफ ले जाने वाली पहली सीढ़ी थी—भूतपूर्व एस्ट्रोनॉट जॉन यंग का लेक्चर। यंग को जब सुनीता ने जॉनसन अंतरिक्ष केंद्र में सुना और अंतरिक्ष केंद्र को देखा तो उसकी सोच नई दिशा में मुड़ गई।

अपने लेक्चर में जान यंग हेलीकॉप्टर के पायलट और लूनर लैंडिंग के संदर्भ में बता रहे थे। तब सुनीता को पहली बार एहसास हुआ कि वह सही जगह पर है और क्या पता चंद्रमा पर जाने का कोई मौका उसे भी मिल जाए। इस कारण उसे गर्व का अनुभव भी हुआ। वह खुद को इसके लिए तैयार करने लगी। हालांकि उसे पूरा विश्वास नहीं हो पा रहा था। वह सोचती रही क्या वाकई ऐसा संभव है? लेकिन उसने सुन रखा था कि टेस्ट पायलट स्कूल का इतिहास गवाह है कि यहां से कई लोग एस्ट्रोनॉट बन चुके हैं। उनमें से अधिकतर नेवल एकेडमी की क्लास में प्रथम या द्वितीय स्थान पर रहे थे, जो कि सुनीता कभी नहीं रही। इसके बावजूद सुनीता ने नासा के अंदर कार्यरत सभी व्यक्तियों एवं घटनाओं पर अपना ध्यान केंद्रित करना शुरू कर दिया। उसने जल्द ही इस सच को समझ लिया कि वहां कार्यरत लोगों के मुकाबले वह कहीं नहीं है।

यह एक दुखद बात थी, जिसने सुनीता के आत्मविश्वास को हिलाकर रख दिया। उसे लगा कि यह नासा तक पहुंचना एक दुष्कर कार्य है। उसे एहसास हुआ कि यह सिर्फ हेलीकॉप्टर पायलट को चुनने की बात नहीं है। उसने यह भी समझा कि यहां कोई और रास्ता नहीं है। बावजूद इसके, सुनीता नासा का सपना छोड़ न सकी।

यहां यह बताना आवश्यक है कि सुनीता एक भारतीय प्रवासी की बेटी है। अतः वह इस अवसर को कचरे के ढेर में डालने को कतई राजी नहीं थी। वह भी बिना पूरे संघर्ष के!

सुनीता के माता-पिता ने भी उसके हौसले को कभी टूटने नहीं दिया। उसके माता-पिता ने हमेशा उसके हौसले को बनाए रखने में सहयोग दिया। उसके माता-पिता अक्सर कहा करते थे कि जो तुम करना चाहती हो, वह करो, हिम्मत मत हारो। प्रयास करो और कर दिखाओ जो तुम चाहती हो...गो फॉर इट।

सुनीता ने ऐसा ही किया। वह और मेहनत व लगन से जुट गई। यह सोचकर कि यह नहीं हो पाया तो क्या, कई और रास्ते भी हैं जीने के लिए। ऐसा सोचकर ही वह निराशा से उबर पाई। 'ईश्वर की जो मर्जी, मुझे तो प्रयास करना ही है।'

इसके बाद वह लगातार प्रयास करती रही। इसी बीच नौ सेना में रहते हुए उसे इटली जाने का आदेश मिला। उसने इटली जाने का आदेश स्वीकार कर लिया था, लेकिन भीतर इंतजार था तो बस नासा के बुलावे का। इसी बीच उसे नासा से बुलावा मिला। फिर क्या था, शुरू हो गया एस्ट्रोनॉट बनने का सफर। अब सुनीता ने सोचा इसे किस्मत का खेल कहें या कुछ और। वह काफी खुश थी। दूसरों को उसकी बात पर विश्वास नहीं हो रहा था। कई लोगों ने फिकरे भी कसे। सुनीता विचलित नहीं हुई। उसने इन चीजों को महज मजाक में लिया। उसे पता था आने वाला समय क्या-क्या खेल दिखाएगा। और सच पूछिए तो येही वह समय था, यही वह प्लेटफार्म था जो सुनीता के भाग्य व कैरियर का फैसला करने वाला था।

इसके आगे की कहानी भी कम दिलचस्प नहीं रही। सुनीता अपनी आंखों में सपने लिए आगे बढ़ती रही। जब किसी ने सवाल किया आप एस्ट्रोनॉट क्यों बनना चाहती हैं तो सुनीता ने दो टूक जवाब

दिया कि हर आदमी एस्ट्रोनॉट बनना चाहता है। फिर उसने बताया कि बचपन में जब वह पांच साल के आसपास की थी, तब उसने देखा कि नील आर्मस्ट्रांग चांद पर चहलकदमी कर रहा है। यह नजारा बहुत ही सुखद था। सुनीता के मन में भी चांद पर जाने की इच्छा अंगड़ाइयां लेने लगी। आखिर बच्ची ही तो थी। जैसे-जैसे वह बड़ी और समझदार होती गई, उसने सोचा क्या ऐसा मेरे लिए भी संभव था? यह एक महान कार्य है और करने वाला महाभाग्यशाली। ऐसा भला कौन होगा, जिसकी इच्छा चांद पर जाने की नहीं होगी? यही बात सुनीता को दिन-रात परेशान करने लगी। तब तक जब तक कि वह टेस्ट पायलट स्कूल, मेरीलैंड में नहीं पहुंची। जहां से वह नेवी पायलट और हेलीकॉप्टर पायलट बन सकी। अपने एक ट्रिप के दौरान जानसन स्पेस सेंटर पहुंची और वहां उसने जान यंग के व्याख्यान को सुना कि कैसे शटल से अंतरिक्ष तक की यात्रा हुई और किस प्रकार चांद पर पहुंचने का लंबा सफर तय किया गया था। इसी दौरान सुनीता के साथ कई नेवल पायलट तथा हेलीकॉप्टर पायलट भी क्लास में बैठे थे। सुनीता अपने बीते दिनों को याद कर रोमांच से भर उठती है। क्लास में बताए गए तथ्यों के आधार पर लूनर लैंडिंग।

जब जान यंग क्लास ले रहे थे तो सुनीता के दिमाग में यूं तो कई सवाल उठ रहे थे, लेकिन जो अहम सवाल था और वह यह कि एक एस्ट्रोनॉट के लिए हेलीकॉप्टर पायलट होने का अनुभव कहां तक सहायक हो सकता है? वह भी तब जब हम चांद पर जा रहे हों? आखिर में सुनीता ने यह कहकर खुद को तसल्ली दी कि मैं एस्ट्रोनॉट कहां बनने जा रही हूं। लेकिन किस्मत को कुछ और ही मंजूर था। किसी प्रकार उसका पीजी कोर्स खत्म हुआ और उसने मास्टर डिग्री हासिल करने के बाद एस्ट्रोनाट के लिए आवेदन कर दिया। यह दूसरा मौका था जब सुनीता ने नासा में आवेदन किया था। इस बार सुनीता

को साक्षात्कार के लिए बुलावा आया। सुनीता ने सोचा कि ॓ भाग्यशाली है। उसके लिए निराशा का दौर खत्म हो गया था। की किरण दिखने लगी थी। अंततोगत्वा सुनीता ने साक्षात्कार दिया चुन ली गई।

न सिर्फ नासा तक पहुंचने के लिए बल्कि नासा में पहुंचने के बा भी उड़ने के लिए सुनीता को लंबा इंतजार करना पड़ा। 1998 में नासा में वह आई और 2002 में उसे पहली बार अभियान-10 के बैकअप में शामिल किया गया, लेकिन अंतरिक्ष यात्रा का अवसर नहीं मिला। फिर कोलंबिया हादसे के बाद अंतरिक्ष कार्यक्रमों में काफी फेरबदल हुए। पहले मौके के लिए 2002 से 2006 तक इंतजार करना पड़ा। लेकिन उसे इस बात की खुशी रही कि वह ऐसे दौर में अंतरिक्ष में जा रही है, जब अंतरराष्ट्रीय अंतरिक्ष केंद्र पर बहुत सारे महत्त्वपूर्ण कार्य किए जाने हैं।

सुनीता ने जाने से पहले कहा था कि अंतरिक्ष में दो अन्य अनुभवी सदस्यों के होने से उसे काफी फायदा मिलेगा। बकौल सुनीता, मैं वाकई भाग्यशाली हूं, क्योंकि उनसे मुझे मदद मिलेगी, किसी भी वक्त किसी भी मुद्दे पर। मैं नई हूं। पहली उड़ान है, लेकिन वे दोनों अनुभवी हैं। साथ ही वे वहां कई महीनों से हैं। मुझे लगता है मेरे सवालों को सुलझाने के लिए वे परफेक्ट लोग होंगे। उसे तो यकीन ही नहीं था कि इतने गंभीर कार्यों के लायक समझा जाएगा और पूरा करने का जिम्मा सौंपा जाएगा। सुनीता को अंतरिक्ष में जाने से पहले पता था कि वहां मांसपेशियों और हड्डियों का ह्रास होगा। इसलिए वह फिटनेस के प्रति हमेशा सजग रही।

सुनीता के जीवन में अगर किसी चीज का महत्त्व रहा तो केवल लक्ष्य, लगन और मेहनत का। वह एस्ट्रोनॉट बनना चाहती थी, लेकिन न बन पाना उसके लिए जीवन के सपनों का अंत नहीं था। वह तो

छोटे-छोटे बच्चों की शिक्षिका भी बनना चाहती थी। वह एस्ट्रोनॉट बनने या नासा तक पहुंचने के मामले में खुद को भाग्यशाली मानती है, क्योंकि उसके साथ ऐसे लोग भी हैं जिन्होंने सात-सात बार आवेदन किया था।

वह कहती हैं, 'एक अवसर के इंतजार में आपकी पूरी जिंदगी भी बरबाद हो सकती है। इसलिए जो कर रहे हैं उसका आनंद लीजिए। तभी आप उसे ठीक प्रकार कर पाएंगे। अगर आप जो चाहते हैं, उसे पूरा करने का अवसर आता है, तो वह बोनस होगा। अगर कुछ करना है तो यह भी न सोचें कि आप अमुक काम नहीं कर सकते। यह सबसे महत्त्वपूर्ण है कि अगर आपने कुछ सोचा है तो उस दिशा में अपने प्रयासों को मोड़ें। आगे तो बढ़ना ही होगा!'

नासा में प्रशिक्षण

नासा के अनुभव के बारे में उसे सबसे अच्छा लगा, विभिन्न देशों के लोगों के साथ काम करना। उसने एक इंटरव्यू में कहा, 'मैंने सोचा न था कि कभी रेड स्क्वेयर पर खड़ी होऊंगी। रूसी में बातचीत

करूंगी। नासा में देशी-विदेशी का भेद न रहा। कभी कनाडियाई तो कभी जापानी, सब साथी। सब के साथ से सीमाहीन क्षितिज पर काम करने का मौका मिला।'

वह मानती है कि उसे आगे बढ़ने का बल मिला पिता डॉ. दीपक पांड्या से। वह आज भी अपने कार्यों को अपने पिता से कम ही आंकती है। उसकी नजर में भारत से खाली हाथ आकर अमेरिका में बसने का उनका फैसला अत्याधिक साहसिक लगता है। वह ऐसा सोच भी नहीं सकती। जब सोचेगी तो आश्चर्य होता है कि उनकी जिंदगी कैसी रही होगी? ऐसा करने का विचार कैसे आया होगा। बकौल सुनीता, 'ऐसा घटनाएं, आप जो कर रहे होते हैं, उसे और बेहतर करने की प्रेरणा देती हैं।'

सुनीता का मिशन

पहली उड़ान में अक्सर कम ही अंतरिक्ष यात्री इतना कुछ कर पाते हैं जितना सुनीता ने किया। भारत के ही पहले अंतरिक्ष यात्री राकेश शर्मा को ही लें। श्री शर्मा अंतरिक्ष में जाने वाले प्रथम भारतीय बनने का गौरव प्राप्त करने के अलावा और ज्यादा कुछ नहीं कर सके। उन्हें तो यान से बाहर निकलने तक का मौका नहीं मिला। सिर्फ एक हफ्ते तक धरती की परिक्रमा करते रहे और 125 परिक्रमा पूरी कर लौट आए। श्री शर्मा ही नहीं, दर्जनों ऐसे अंतरिक्ष यात्री रहे हैं जिन्हें अपने प्रकार से प्रथम होने का गौरव मिला, लेकिन उनके नाम काम का रिकार्ड नहीं जुड़ सका। उन्हें जो छोटे-मोटे काम सौंपे भी गए, वे बड़े कामों की भीड़ में खो गए। उनको गिनती लायक नहीं माना गया। लेकिन सुनीता ने काम के साथ-साथ रिकार्ड पर रिकार्ड कायम किए।

सुनीता के मिशन या यूं कहें काम में बहुत कुछ शामिल था। तकनीकी कार्यों से लेकर जैविक परिस्थितियों का अध्ययन करने तक। कुछ इतने जटिल जिन्हें सामान्य भाषा में समझा नहीं जा सकता। अंतरराष्ट्रीय अंतरिक्ष स्टेशन के कायाकल्प में योगदान तो महत्त्वपूर्ण रहा ही, लेकिन इन चीजों से ज्यादा महत्त्व उसके जिस प्रयोग को दिया गया है वह है भारहीनता की स्थिति में मनुष्य पर पड़ने वाले प्रभाव। उसने अपने प्रयोगों से यह जानने की कोशिश की है कि लंबे से लंबे समय तक अंतरिक्ष में रहने से मानवीय शरीर पर क्या-क्या प्रभाव पड़ते हैं। और साथ ही यह भी कि किस प्रकार अंतरिक्ष में लंबे समय तक रहा जा सकता है।

नासा की अगली योजना चांद और मंगल यात्रा की है। मंगल तक जाने में ही छह महीने का समय लग जाता है। इसी वजह से इस प्रयोग को ज्यादा महत्त्व दिया जा रहा है। उसने अंतरिक्षीय लैब में अपने खून और पेशाब के नमूने भी लिए। धरती पर इन सबका अध्ययन किया जा रहा है। छह महीने से ज्यादा के प्रवास के दौरान सुनीता ने अंतरिक्ष केंद्र के वाटर टैंक, सोलर पैनल की मरम्मत की। उसका काम कितना बृहद था इसका अंदाजा इसी बात से लगाया जा सकता है कि उसने एक यात्रा में सबसे ज्यादा समय तक स्पेस वॉक का रिकार्ड भी बनाया। वह 29 घंटे से भी ज्यादा समय तक अंतरिक्ष में रही। अंतरिक्ष में रहते हुए सपोर्ट कंप्यूटरों के लिए नया पैनल लगाना कम बड़ी चुनौती नहीं थी, लेकिन उसने इसे भी सफलतापूर्वक कर दिखाया।

वह अपने अनुभवों में लिखती है, 'अंतरिक्ष में कुछ भी करना आसान नहीं होता है। हर चीज उड़ जाती है। अगर आप कुछ जोड़ते हैं तो बहुत टेप की आवश्यकता पड़ती है। जब कभी अंतरिक्ष केंद्र के किसी हिस्से को उसके निर्धारित जगह से रख-रखाव के लिए हटाया जाता है तो बहुत-सी चीजों के खोने का डर बना रहता है। हम जब कभी किसी चीज को हटाते हैं, बदलते हैं और इस प्रक्रिया में कुछ खो

जाता है तो उसका मिलना मुश्किल होता है। यहां जब भी कभी मेंटेनेंस का काम होता है तो पिछली बार की खोई चीजें मिलती रहती हैं। यहां उपकरणों, औजारों से लेकर पानी के थैले और खाने के कंटेनरों पर हमेशा नजर रखनी पड़ती है। यह भी काम का बड़ा हिस्सा होता है।'

सुनीता का अभियान छोटे-मोटे कामों से भी भरा रहा। हर दिन कुछ न कुछ मेंटेनेंस के काम करने ही पड़े। कोई दिन उसका आरपीसीएम (रिमोट पॉवर कंट्रोल मॉड्यूल) को रिप्लेस करने में बीता तो कोई दिन अंतरिक्ष केंद्र को साफ-सुथरा कर घर जैसा बनाने में। अंतरिक्ष केंद्र पर हर वस्तु का ब्यौरा रखा जाता है। प्रवासी यात्री इसके लिए उसी प्रकार के बार कोड का इस्तेमाल करते हैं जैसा बड़े-बड़े डिपार्टमेंटल स्टोरों में देखने को मिलता है। सुनीता के अनुसार, 'इससे अगर कोई चीज उड़ जाए, खो जाए और बाद में मिल जाए तो उसे नियमित जगह पर रखने में सहायता मिलती है।'

बॉस्टन मैराथन में दौड़ना भले ही उसके कार्यों में शामिल न था, लेकिन उसने इसे भी अपने मिशन का हिस्सा बनाया। तैराकी, ट्रॉयथलन और मैराथन को पसंद करने वाली सुनीता भला पुरानी प्रतिबद्धता को कैसे छोड़ने वाली थी। उसने स्पेस से ही बॉस्टन मैराथन में हिस्सा लिया। उसने ट्रेड मिल पर दौड़ पूरी की। करीब साढ़े चार घंटे में। उसके लिए यह भी हैरत भरा अनुभव रहा कि मैराथन में उसके साथ मिशन कंट्रोल और पे लोड कंट्रोल की टीम भी लगी रही।

उसने सोयूज अंतरिक्ष यान के द्वारा अपने दो साथियों को अंतरिक्ष से भेजने और उनके उतरने का अनुभव भी प्राप्त किया। नासा टीवी की सहायता से उनकी पल पल की एक्टिविटी पर नजर रही। यान के कजाकिस्तान में उतरने के बाद भी उसे विश्वास नहीं हो रहा था कि वह उनके साथ कुछ घंटे पहले चाय पी रही थी। सब कुछ बहुत आसान-सा लगा। सुनीता ने लिखा है, 'अंतरिक्ष केंद्र से धरती बहुत दूर दिखती है। उसके लिए यह मानना मुश्किल लग रहा

था कि अंतरिक्ष केंद्र से यान के अलग होने के चार घंटे बाद ही वे धरती पर थे।'

सुनीता के अनुसंधान का अध्ययन

सुनीता के परीक्षणों का अध्ययन करने में नासा को एक से डेढ़ वर्ष लगेंगे। नासा का मानना है कि इसके परीक्षण भविष्य में सुधार के आधार बनेंगे। इसके आधार पर फ्यूल टैंक, कूलिंग सिस्टम और वाटर रिसाइक्लिंग से जुड़े सिस्टम को बेहतर बनाया जा सकेगा। सुनीता ने अंतरिक्ष में तरल पदार्थों के बहाव (कैपेलरी इफेक्ट) पर आधारित अपने परीक्षणों की कड़ी को लावा लैंप का नाम दिया है। हालांकि इसका लावा या लैंप के साथ कोई जुड़ाव नहीं है। यह तो तीन परीक्षणों का मिश्रण है जिसे गुरुत्वविहीन परिस्थितियों में तरल पदार्थों के संचरण की जानकारी के लिए डिजाइन किया गया था।

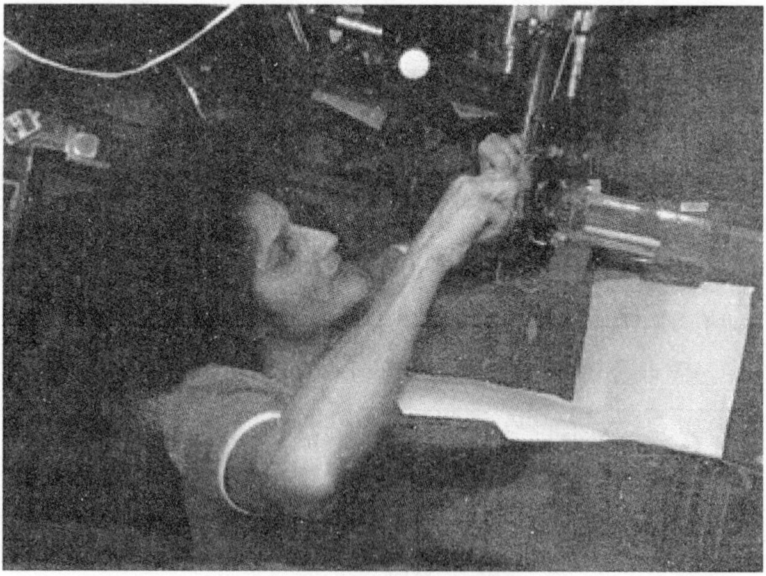

अपने प्रयोगों में व्यस्त सुनीता

धरती पर स्थितियां अलग होती हैं। एक कार का ही उदाहरण लें। एक पाइप द्वारा ईंधन टंकी से जुड़ा होता है। गुरुत्वबल के कारण ईंधन कार की टंकी के पेंदी से चिपका रहता है। लेकिन अंतरिक्ष में ऐसा नहीं होता। वहां न के बराबर गुरुत्व बल के कारण सब कुछ तैरता-सा रहता है। किसी भी टंकी में तरल पदार्थ के कम होते ही समस्या आने लगती है। ईंधन टंकी में इधर से उधर तैरता है तो पानी की बूंदे रिसाइक्लिंग सिस्टम में उछलती रहती हैं। सुनीता ने इन चीजों पर किसी भी एस्ट्रोनॉट से ज्यादा अध्ययन किया। इसीलिए उसे 'क्वीन ऑफ कैपेलरी फ्लो एक्सपेरिमेंट' की उपाधि दी गई।

सुनीता के प्रयोगों के सहारे धरती पर भी तरल पदार्थों के बहाव से जुड़े छोटे-छोटे सिस्टम विकसित किए जा सकेंगे। कैपेलरी फ्लो एक्सपेरिमेंट के द्वारा किसी तरल के ठोस के संपर्क में आने पर उसके सतह के रेस्पांस का अध्ययन किया जाता है।

अंतरिक्ष में खट्टे-मीठे अनुभव

पहला सप्ताह

2006 समाप्त होने वाला था। क्रिसमस नजदीक था। दुनिया भर में खुशी का माहौल था, लेकिन सुनीता बिजी थी। अंतरिक्ष केंद्र पर बिखरी गंदगी और बिखरे सामान को समेटने में। इस बीच वह कभी कभी खिड़की से धरती की तरफ झांक भी लेती थी।

उसके लिए अंतरिक्ष केंद्र पर हर अनुभव नया था। उड़ने से लेकर वहां रहने तक। एक रेडियो शो में उसकी एक सहकर्मी ने कहा कि वहां उड़ना हैरी पॉटर की तरह है। अंतरिक्ष यात्री वैसे ही उड़ते हैं जैसे पॉटर उड़ता है। लेकिन सुनीता की नजर में दोनों में थोड़ा अंतर होता है। अंतरिक्ष यात्री हैरी पॉटर की तरह नहीं, मैरी पॉपिंस की तरह उड़ते हैं। वही मैरी पॉपिंस जो छाते के साथ उड़ी थी और किसी की छत पर जा गिरी थी।

सुनीता के लिए अंतरिक्ष केंद्र पर पहला दिन ठीक नहीं रहा था। वह पेट की परेशानी से जूझती रही। हालांकि पहले दिन के बाद उसका पेट ही नहीं, दिमाग भी एडजस्ट होने लगा था। सुनीता मानती है कि मानव का शरीर बहुत अद्भुत है। समय जरूर लगता है, लेकिन हर परिस्थिति के हिसाब से ढल जाता है। वह उड़ने और अंतरिक्ष तक पहुंचने के अनुभवों को बहुत कठिन मानती है, खासकर प्रक्षेपण को। दिमाग ही नहीं, शरीर के बाकी हिस्से भी हिल जाते हैं। परिस्थिति के अनुसार ढलने में समय लगता है। पहले छह घंटे तो उसके पेट के लिए भयंकर रहे। उसके मुताबिक उड़ने से चार घंटे पहले से ही उन लोगों को पीठ के बल लेटा दिया गया था। ऐसे में उसके पेट और ब्लाडर की स्थिति गड़बड़ा गई थी। इस स्थिति में पेट इतना ज्यादा प्रभावित होता है कि अंतरिक्ष यात्रियों के स्पेस सूट तक के खराब होने की नौबत आ जाती है। लेकिन शुक्र है कि अंतरिक्ष यात्री खास किस्म का डायपर पहनते हैं जिससे कम से कम स्पेस सूट न गंदा होता है और न ही उसमें बदबू आती है।

टेक ऑफ (उड़ने) से छह सेकेंड पहले सुनीता के यान का मुख्य इंजन स्टार्ट हुआ था। इस दौरान भयंकर कंपन के कारण उसके लिए स्वयं को संभालना सचमुच मुश्किल हो गया था। इंजन के स्टार्ट होने के बाद यात्रियों को इस बात का अहसास हो जाता है कि वे सचमुच यात्रा आरंभ करने वाले हैं। सुनीता के साथ भी अजीब ही हुआ। ईंधन के स्टार्ट होते ही उसके पेट को पता ही नहीं चला कि हो क्या रहा है? सॉलिड रॉकेट बूस्टर्स (एसआरबी) के बंद होने के बाद ही स्थिति सामान्य हो पाई। लेकिन गति ज्यों की त्यों रही। यद्यपि गति तेज होने के बावजूद यात्री हाथ और बांह का इस्तेमाल करने लायक हो जाते हैं। स्थिति सामान्य होते ही अंतरिक्ष यात्रियों ने जमकर शोरशराबा किया। जी भरकर चिल्लाए। नए अनुभव का पूरा मजा लिया और जब अंतरराष्ट्रीय अंतरिक्ष केंद्र पर पहुंचे तो हँसी रुकने का काम नहीं ले रही थी। आश्चर्यजनक और नया अनुभव था। सबमें अंतरिक्ष केंद्र के भीतर

जाने की जल्दी थी। सब अपनी-अपनी सीट से उठे, लेकिन यहां तो स्थिति अलग थी। किसी के पांव काम नहीं कर रहे थे तो कोई जहां तहां टकरा रहा था।

अंतरिक्ष यात्रा के लिए तैयार

सीनोवम गोडम यानी हैप्पी न्यू ईयर

दस दिन हुए थे। डिस्कवरी जा चुका था। इसके आने और अंतरिक्ष केंद्र पर यात्रियों की संख्या बढ़ने से वहां काफी गंदगी फैल गई थी। अब नया साल नजदीक था, इसलिए उत्सव के माहौल में अंतरिक्ष केंद्र पर भी सफाई की जा रही थी। सुनीता ने जमकर सफाई की। सफाई के बाद ही सुनीता और उसकी टीम जश्न के मूड में आ सकी।

उसके साथ दो और यात्री अंतरिक्ष केंद्र पर थे। मिखाइल त्यूरिन और माइकल लोपेज एलेगिया। नए साल के अवसर पर शुरू हुआ जश्न

सात जनवरी तक चला, क्योंकि रूस में नए साल का जश्न उत्सव का एक मौसम लेकर आता है। सात जनवरी को वहां क्रिसमस मनाया जाता है और उसी के साथ उत्सव के दौर का अंत होता है।

हम में से बहुत कम ही जानते हैं कि रूस का परंपरागत चर्च सात जनवरी को क्रिसमस मनाता है। दिसंबर का पूरा महीना वैसे सुनीता के लिए अंतरिक्ष केंद्र को समझने और वहां की परिस्थितियों से तालमेल बैठाने में ही बीत गया। उसने आरंभ में ही मान लिया कि अंतरिक्ष में चहलकदमी उसकी असली परीक्षा होगी। सुनीता ने अंतरिक्ष में नए साल के मौके पर फिल्म भी देखी। फिल्म भी रूसी और दिखाने वाले भी रूसी। क्या फिल्म का टाइटल समझ में आया? नहीं न? इसका अर्थ है हैप्पी न्यू ईयर।

एक रात की बात

सुनीता अंतरिक्ष केंद्र की खिड़कियों से बाहर देख रही थी। लौटने में कुछ ही दिन बचे थे। थोड़ी भावुक थी। चांद बड़ा-सा दिख रहा था। बादल पर चांद की रोशनी पड़ रही थी और वे चमक रहे थे। उसे अचानक लगा कि पूरे चांद को वह शायद इतनी नजदीक से अंतिम बार देख रही है। वह कैमरा लाने को दौड़ी। सीन को कैद करना चाहती थी, यादों के वास्ते, लेकिन ठिठक गई। दूसरी तरफ यह भी लगा कि यह सीन कहीं मिस न हो जाए। यह सोच लौट गई और अनवरत चांद को निहारती रही। उसे चांद के गड्ढों को देखना, वह भी इतना स्पष्ट, सबसे रोमांचकारी लगा। उसने कहा, 'यह अंतिम तो नहीं है जब चांद को इतना स्पष्ट देख रही हूं, लेकिन यह भी नहीं जानती अगला मौका कब मिलेगा?'

कुत्तों को कितना टीवी देखना चाहिए?

सुनीता ने अंतरिक्ष से कई बार अपने मां-बाप, पति और गोर्बी से बात की। एक बार ऐसा भी मौका आया जब विज्ञान की गुत्थियां

सुलझाने में लगे उसके दिमाग में कुछ अजीब सवाल उपजे।

कुत्तों को कितना टीवी देखना चाहिए?

क्या कुत्ते फोटो देखकर सोच पाते हैं?

क्यों कुछ कुत्ते हमेशा बच्चों की तरह रहते है? आदि।

सवाल तो प्यारे गोर्बी को देखने के बाद उपजा था। इसलिए उसके मन में एक सवाल गोर्बी के लिए भी पैदा हुआ, 'क्या वह मुझे पहचानता भी होगा?' साथ ही मन के दूसरे कोने से जवाब भी दे दिया, 'मुझे नहीं लगता।'

पानी रे पानी

अंतरिक्ष केंद्र पर रहने वालों के लिए सबसे आवश्यक है तो पानी। न सिर्फ पीने के लिए बल्कि ऑक्सीजन बनाने के लिए। सुनीता के रहते जब अटलांटिस की यात्रा में देरी हुई, अंतरिक्ष केंद्र पर पानी की कमी महसूस होने लगी। प्रवासी वहां जमा पानी से काम चला रहे थे। जब एक मालवाहक धरती से रसद के साथ रवाना हुआ तो सुनीता ने राहत की सांस ली। सुनीता ने अंतरिक्ष में लिखा, 'अक्सर हमें शटल से पानी मिल जाता है। यह जब बिजली बनाता है तो पानी भी बनता है। इस बार अटलांटिस की उड़ान टलने से हमें जमा पानी का इस्तेमाल करना पड़ा। प्रोग्रेस से आ रहे पानी का बेसब्री से इंतजार है। उसमें इस बार पानी भी ज्यादा है। वैसे तो हम अंतरिक्ष केंद्र के वातावरण में मौजूद जल कणों को जमा कर, फिल्टर कर उसका भी इस्तेमाल करते हैं।'

अंग्रेजी नहीं रशियन!

अंग्रेजों के बीच पली बढ़ी सुनीता यूं तो रूसी भाषा से अच्छी अवगत थी। जानती भी थी, लेकिन उस लंबे समय बाद रूसी भाषा में बोलने का मौका मिला था। चौदहवें अभियान के सदस्यों में रूसियों के कारण उसे इसके काफी मौके मिले। उसने ज्यादा से

ज्यादा बातचीत रूसी में करने की कोशिश की। लेकिन सुनीता की रूसी कभी-कभी रूसियों के ही पल्ले नहीं पड़ती। उन्हें कहना पड़ता था, 'अंग्रेजी में बोलो।'

जस्ट फॉर चैरिटी

सुनीता जब स्पेस सेंटर में पहुंची तो वहां उसने पहला अच्छा काम उसने अपने नाम किया था वह बालों का दान। अपने लंबे बालों से हद तक प्यार करने वाली सुनीता ने बाल कटवाकर किसी जरूरतमंद को देने की इच्छा जाहिर की। वैसे जरूरतमंद को जिसके बाल किसी बीमारी के कारण झड़ गए हों।

बाल कटवाने से पहले और उसके बाद

अंतरिक्ष में बाल कटवाना भी आसान काम न था। मिशन विशेषज्ञ जॉन हिगिनबॉथम ने उसका हेयर स्टायलिस्ट बनने का बीड़ा

उठाया। नासा ने सुनीता की इच्छा के अनुसार बाल एक चैरिटेबल संस्था 'लॉक्स ऑफ लव' को दान कर दिए। उस संस्था के लिए भी ऐसा दान पाना एक महान अवसर रहा। अब तक उसे ऐसा दान किसी ने नहीं दिया था।

एलन शेपर्ड की याद

पहले अमेरिकी एलन शेपर्ड के अंतरिक्ष में पहुंचने के छियालीसवीं वर्षगांठ को सुनीता और उसकी टीम ने अंतरिक्ष में मनाया। अंतरिक्ष यात्रियों ने माना कि उनके बिना आज लोग अंतरिक्ष केंद्र पर काम नहीं कर रहे होते।

आइसक्रीम

195 दिन में ऐसे वक्त कई बार आए जब उसे घर-परिवार के अलावा आइसक्रीम की भी याद आई। उसे पिस्ताचियों बहुत पसंद है। लेकिन खाने की हर चीज के बावजूद अंतरिक्ष में आइसक्रीम न थी। एक दिन तो इस कमी को पूरा करने के लिए चॉकलेट पुडिंग को ही आइसक्रीम में बदलने की कवायद कर दी। पुडिंग पर पिस्ताचियो डाल कर मजा लिया। रिजल्ट संतोषजनक रहा, लेकिन फिर भी ऑरिजनल की कमी खलती रही।

चिढ़ाया भी, सताया भी

सीरियस कामों के साथ एक दूसरे की बोली शब्द और स्टाइल भी मन बहलाने वाले रहे। वह रूसियों की नकल करती, उनकी अंग्रेजी सुन हँसती तो उन्होंने उसके तकियाकलाम को पकड़ लिया और करते रहे एक दूसरे की खिंचाई। सुनीता को यह भी विचित्र लगा कि कैसे एक शब्द का अर्थ दूसरी भाषा में बदल जाता है। 'स्कॉच' को ही लीजिए।

रूसी में इसका अर्थ टेप होता है तो पेपर का अर्थ डायपर। रूसी जब हिप्पोपॉटमस बोलते तो ओ (O) पर जोर देकर बोलते, तब भी उसे बहुत अटपटा लगता था।

नेवी स्पेस और घर

सुनीता चौदहवें अभियान दल की सदस्य थी। उसके रहते इस दल के तीन में से दो वापस धरती पर जाने वाले थे। जब सोयूज यान नए सदस्यों को लेकर आया तो भीड़ बढ़ गई। तीन की जगह छह। पूछेंगे छठा कौन था तो वह थे अंतरिक्ष पर्यटक चार्ल्स सिमोनी। 10 दिन की अंतरिक्ष यात्रा पर गए थे। लौटना भी उन्हें सोयूज से ही अभियान 14 के सदस्यों के साथ था। कुल मिलाकर भीड़ बढ़ गई थी। सुनीता को ये पल वैसे लगे जैसे वह नेवी की ड्यूटी से घर आई हो। नेवी में कहां बंद बंद बिजी माहौल और कहां घर में आते-जाते लोग और टीवी का शोरगुल। उसने अपने अनुभवों में लिखा, 'जब दोस्त आते हैं और कुछ समय के लिए रहते हैं तो पहले पहल मजा आता है, एक्साइटिंग लगता है? एक दूसरे की कहानियां, गप्प-शप्प, गिफ्टों का आदान-प्रदान, लेकिन एक वक्त ऐसा आता है जब आपको लगता है भीड़ बढ़ गई है।'

वह यह भी जानती थी कि कुछ दिनों की बात है। मजा भी आया, फिर भी उसे कहीं न कहीं लोग बढ़े हुए लगे। यह भी जानती थी कि उसे बाद के चार महीने नए यात्रियों के साथ ही रहना होगा। सुनीता को भीड़ से एक और दिक्कत हुई। वह चाहकर भी कई सीन का फोटो नहीं ले पाई। फोटो खिड़की से लिए जा सकते थे, लेकिन वहां बड़े-बड़े वीडियो कैमरे और बड़े-बड़े लेंस लगे थे। कुल मिलाकर नो एंट्री, लेकिन सब चलता रहा। चिल्ल-पों के बीच। जब भीड़ से ऊबती, लैब में आ बैठती थी। अमेरिकी हिस्से में, रूसी हिस्से से दूर।

अभियान 14 और 15 के सदस्यों के साथ

उसे अब यहीं मजा आ रहा था। घर बना बैठी थी। उसे तो यह लग रहा था कि इतने समय बाद धरती पर लौटेगी तो सब अजीब-सा लगेगा। हालांकि यहां एडजस्ट करने में उसे दिक्कत तो आ रही थी। लेकिन कहा कि कितनी विचित्र बात है। आदमी और उसका दिमाग में एडजस्ट कर जाता है जिसमें उसे छोड़ दिया जाता है जिसमें उसे छोड़ दिया जाता है। उसे चौदहवें अभियान दल के सदस्यों से अलग होने की बात भी दुःख दे रही थी, लेकिन वह कुछ कर भी नहीं सकती थी।

वेडिंग रिंग

सोयूज को दोबारा से स्पेस स्टेशन के साथ डॉक करना था। इस मौके पर सुनीता के दिमाग में भी फिजूल के खयाल आए। उसे लगा कहीं सोयूज को डॉक करने के चक्कर में वे अगर नहीं लौटे तो?

उसने न सिर्फ अपनी शादी की अंगूठी बल्कि गहने आदि भी काम पर जाने के साथ ले लिए। काम आसान था। दोपहर से अगले दिन सुबह नौ बजे तक की मेहनत के बाद सोयूज दोबारा डॉक हुआ। इसके लिए अंतरिक्ष केंद्र को कंप्यूटर की भांति बंद किया गया। एक-एक चीज। ऑक्सीजन बनाने वाली मशीन, कार्बन डाइऑक्साइड हटाने वाली मशीन, पानी संयंत्र, बत्ती और यहां तक कि टॉयलेट भी।

जेवर समेटने का अनुभव उसके लिए वैसा ही रहा, जब रीटा तूफान के ह्यूस्टन आने का अंदेशा व्यक्त किया गया था और वह भी दूसरों के साथ घर छोड़कर जा रही थी। किसी को यह भी मालूम न था कि वे लौटेंगे या नहीं?

एक दिन की कसरत

अंतरिक्ष में रहना किसी प्रकार से आसान नहीं है। मांसपेशियों और हड्डियों के कमजोर पड़ते रहने का खतरा बना रहता है। इसलिए अंतरिक्ष यात्रियों को जमकर कसरत करनी पड़ती है। इतनी जितनी हम धरती पर भी नहीं करते।

कसरतों पर जरा गौर कीजिए—चालीस मिनट बाइकिंग, चार-पांच मील की दौड़ और वेटलिफ्टिंग आदि भी। वह भी ऐसी स्थितियों में जहां पसीना खूब बहता है, चेहरे और शरीर पर लटका रहता है, गिरता नहीं। बार-बार तौलिए की जरूरत पड़ती है। लेकिन यह जानकार आपको आश्चर्य होगा कि धरती की तरह वहां कसरत करना या न करना अंतरिक्ष यात्रियों की इच्छा पर निर्भर नहीं होता। उन्हें व्यायाम करना ही पड़ता है।

आरंभिक मिशनों पर गए अंतरिक्ष यात्रियों के साथ हालांकि ऐसा नहीं हुआ था। लेकिन वैज्ञानिकों ने उनकी मांसपेशियों और हड्डियों को लौटने के बाद कमजोर पाया। इसलिए अब अंतरिक्ष यात्रियों के लिए व्यायाम का व्यवस्थित कार्यक्रम तैयार कर दिया गया है। फ्लाइट

डॉक्टर सात से पंद्रह दिन के मिशन पर जाने वालों के लिए रोज पंद्रह मिनट और एक महीने के मिशन पर जाने वालों को रोज तीस मिनट का व्यायाम सुझाते हैं।

इससे मांसपेशियों और हड्डियों को ठीक रखने के साथ धरती पर लौटने पर भी एडजस्ट करने में मदद मिलती है। व्यायाम करते रहने के कारण वे जल्द एडप्ट कर जाते हैं। व्यायाम की अंतरिक्ष केंद्र पर पूरी व्यवस्था है। व्यायाम के लिए वहां मुख्य रूप से ट्रेड मिल और साइकिल उपलब्ध है। यात्री ट्रेड मिल को सतह पर रख खुद को बेल्ट से बांध लेते हैं इसके चलने से पांव की कसरत तो होती ही है, हाथ को आगे डंडे से टिकाकर आगे की ओर धकेल हाथ की भी कसरत कर लेते हैं। पसीना सुखाने के लिए पंखे की व्यवस्था है।

खाना क्या खाना?

जब कोई अपना साथ न हो, घर-बार भी टेंपररी हो और ऐसे में खाना भी पैक्ड और पुराना। हद हो गई, लेकिन अंतरिक्ष यात्रियों को तो हर हाल में जीना होता है, आखिर वे एक मिशन पर होते हैं। सुनीता के अंतरिक्ष में रहने के अनुभवों में खानपान छाया रहा है। इसका मतलब यह नहीं है कि उसका ध्यान खाने पर लगा रहता था, बल्कि नासा की तरफ उन्हें फीडबैक देने को कहा जाता है। खानपान की छोटी से छोटी बातें बताकर वह अध्ययन का भी एक प्लेटफार्म तैयार कर रही थी। फीडबैक के आधार पर खाने और अंतरिक्ष में स्वाद, इच्छा और अनिच्छा संबंधी होनेवाले परिवर्तनों का अध्ययन किया जाता है।

अंतरिक्ष में सुनीता के लिए सब कुछ मौजूद था। हीटर से लेकर ओवन तक। बीतते समय के साथ वह खाना बनाने या उसे नया रूप देने में करीब-करीब एक्सपर्ट हो गई थी। लेकिन डिब्बा बंद खानों से वह ऊब जाती थी और समय समय पर एक्सपेरिमेंट करती रहती थी।

जब प्रोग्रेस (मालवाहक यान) आनेवाला होता था तब उसे बहुत अच्छा लगता था। ताजे खानों और फलों के आने की उम्मीद रहती थी।

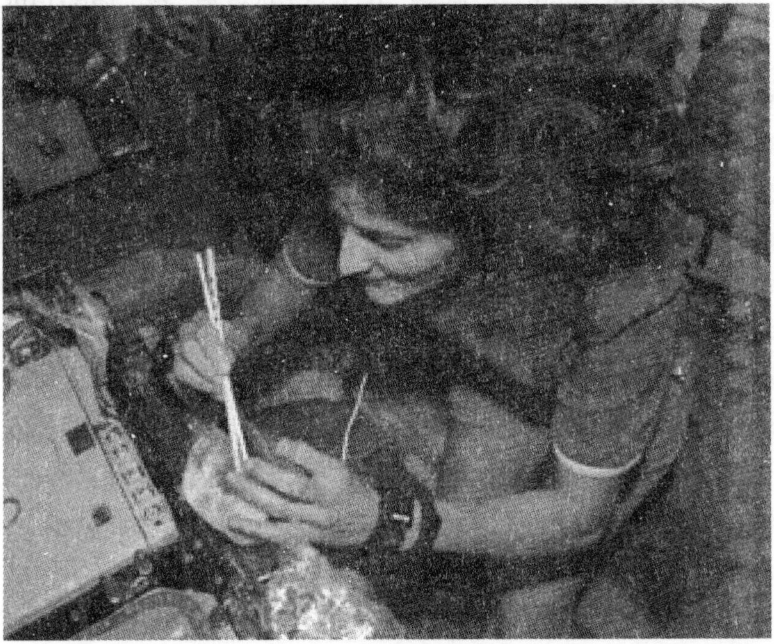

अंतरिक्ष केन्द्र पर भोजन

अपने सहयोगियों के साथ पालक पनीर, हलवा छोले की पार्टी की तो बात ही कुछ खास रही। पालक पनीर तो सबने पसंद किया, लेकिन गुजराती व्यंजनों की पार्टी किसी को भायी तो किसी को नहीं। उसका कोई सप्ताह आलू से बने रूसी व्यंजनों के सहारे बीता तो कोई अमेरिकी आलुओं के सहारे। आलुओं पर भी वह एक्सपेरिमेंट करने से नहीं चूकी। कभी गार्लिक पेस्ट और ओलिव ऑयल के साथ आलू, तो कभी मशरूम के साथ तैयार आलू पर रूसी चीज। कभी बीन गर्म करती तो कभी उसमें सॉस मिलाती। सुनीता की मानें तो उसने वैसा ही किया जैसा 90 के दशक के अंतरिक्ष यात्री ने कहा था,

'अच्छी चीजें ही खाओ, क्योंकि कल फिर कुछ नया और बेहतर सामने होगा।'

अकेलेपन में खाना खाना टाइम पास जैसा था। कभी वह अमेरिकन कंटेनरों से काम चलाती तो कभी रूसियों से। उसके प्रवास के दौरान एक वक्त ऐसा भी आया जब अमेरिकी कंटेनरों में खाने को कुछ स्वादिष्ट न बचा। वह एक महीने तक रूसी व्यंजनों के सहारे रही। इसका असर यह हुआ कि वह उन व्यंजनों की तरह ही दमकने लगी। एक दिन तो ऐसा हुआ कि एक व्यंजन का टुकड़ा उड़कर उसके बालों में फंस गया। उसे पता न चला। लेकिन वह उसकी गंध से परेशान रही। जब पता चला तो फ्रेश होकर ही मिट सका। उसे रशियन व्यंजनों में सबसे ज्यादा बीट सलाद पसंद आया। उसने धरती पर लौटकर उसे बनाने की ठान ली।

अंतरिक्ष में जानेवाले कंटेनरों में हर महीने के हिसाब से एक बोनस कंटेनर भी होता है। उसमें खास व्यंजन होते हैं। अमूमन वैसे व्यंजन जिन्हें अंतरिक्ष यात्री ज्यादा पसंद करते हैं। सुनीता बोनस कंटेनरों को बचा-बचाकर खाती थी। कुछ महीने तो उसने उन्हें खोला ही नहीं। उसकी मानें तो उसका यह व्यवहार पांड्या परिवार की तरह था। सुनीता ने इन कंटेनरों में भारतीय व्यंजनों को ही महत्ता दी थी जैसे साग-पनीर, पकौड़ी चटनी आदि, साथ में स्वीडिश फिश और कैंडी आदि।

अंतरिक्ष में रहते हुए कॉस्टमोनॉटिक्स डे, 12 अप्रैल को उन लोगों की पार्टी हुई। यह दिन पहले मानव के अंतरिक्ष में पहंचने की सफलता को समर्पित है। वह शख्स थे रूसी यूरी गागारिन। इसी दिन स्पेस शटल कोलंबिया ने भी पहली बार उड़ान भरी थी। जॉन यंग और बॉब क्रिपन के साथ। रूस में तो इस दिन पूरी तरह छुट्टी रहती है। अमेरिका के ह्यूस्टन स्थित जॉनसन स्पेस सेंटर इलाके में भी जश्न का माहौल रहता है।

वोवा और गोर्बी

सुनीता ही नहीं, उसके सहयोगियों ने भी खाना-पीना उपकरण, वगैरह लेकर आनेवाले यानों (प्रोग्रेस) का अलग-अलग नाम रख रखा था। जैसे वोवा, गोर्बी और वायलेट। इन यानों के आने से सुनीता को सबसे ज्यादा खुशी खाने को लेकर होती थी कि कुछ नया और बढ़िया आया होगा।

प्रोग्रेस यान के अंतरिक्ष स्टेशन पर डॉकिंग के बाद भी प्रवासियों को उसमें घुसने के लिए काफी इंतजार करना पड़ता है। वे उसमें तभी घुस पाते हैं जब उसका भीतरी दबाव अंतरिक्ष के बराबर हो जाता है।

इन प्रोग्रेस यानों में न सिर्फ टनों टन खाना होता है बल्कि पानी, ऑक्सीजन और दूसरी वस्तुएं भी होती हैं। जब कभी ऐसा मालवाहक अंतरिक्ष केंद्र तक आता है, अंतरिक्ष यात्रियों की बांछें खिल जाती हैं।

क्या है प्रोग्रेस

अंतरिक्ष केंद्र में क्या यात्री महीनों का रसद अपने साथ ले जाते हैं? क्या वहां ऑक्सीजन अपने आप बनता है? क्या तरह-तरह के खाने उन्हें यूं ही नसीब होते हैं। क्या उनकी प्रयोगशालाओं के लिए सारे उपकरण एक ही बार में उपलब्ध हो जाते हैं? क्या अंतरिक्ष यान में एक बार में इतनी चीजों को ले जाने के लिए जगह होती है? नहीं, ऐसा नहीं होता। रसद, उपकरण और बाकी वस्तुएं एक विशेष यान द्वारा भेजी जाती हैं। इसे साधारण शब्दों में हम मालवाहक यान कह सकते हैं। तकनीकी रूप से प्रोग्रेस का नाम दिया गया है। सुनीता जब अंतरिक्ष केंद्र पर थी, तब कई ऐसे यान खाना-पीना और उपकरण आदि लेकर वहां पहुंचे।

अगर प्रोग्रेस न हो तो अंतरिक्ष यात्रियों के लिए इतने लंबे समय तक अंतरिक्ष केंद्र पर बने रहना मुश्किल हो जाए। विशेष प्रकार से तैयार यह यान उनकी हर आवश्यकता को पूरा करता है। अंतरिक्ष केंद्र

पर ऐसे एक से ज्यादा यान एक बार में डॉक (खड़े) किए जा सकते हैं। अक्सर जब दूसरा यान वहां पहुंचता है, तभी पहले से खड़े यान को धरती की तरफ छोड़ा जाता है। इसमें कूड़ा, कचरा और वैसी चीजें रख दी जाती हैं जिनकी अंतरिक्ष में जरूरत नहीं रह जाती है। ऑटोमेटिक सिस्टम से चलने वाला यह यान कूड़े-कचरे के साथ वायुमंडल में प्रवेश करते ही जल जाता है।

प्रोग्रेस यान एक तरह से अस्थाई कचराघर का भी काम करता है। अगले यान के आने तक अंतरिक्ष यात्री इससे आयी आवश्यक चीजों को निकाल लेते हैं, लेकिन कुछ तब तक इसमें बनी रहती हैं, जब तक उनका स्थायी ठिकाना नहीं ढूंढ़ लिया जाता। साथ ही इसमें कचरा भी भरते जाते हैं।

ये प्रोग्रेस यान रूसी हैं इनका रूप रंग भी सोयूज यानों की तरह होता है। फर्क इतना होता है कि सोयूज में यात्रियों के लिए भी जगह होती है, लेकिन इसमें सिर्फ सामान होता है। इनकी क्षमता ढाई टन की होती है। पानी और ईंधन के लिए अलग चेंबर बने होते हैं। कौन-सा सामान कितना जाएगा, यह जरूरत के हिसाब से बदलता रहता है। इन्हें बैकानूर (कजाकिस्तान) से छोड़ा जाता है। वहां से अंतरिक्ष केंद्र तक पहुंचने में इन्हें दो दिन का समय लग जाता है।

अंतरिक्ष केंद्र में छेद

सुनीता के दिमाग में अक्सर उल्काओं या दूसरे आकाशीय पिंडों के अंतरिक्ष केंद्र से टकराने की बात आती रहती थी। उसके अंतरिक्ष केंद्र पर रहते ऐसा वक्त आया जब एक उल्का पिंड वाकई अंतरिक्ष केंद्र से टकराया। उसमें छेद भी हो गया। सुनीता को इसका पता भी नहीं चला। छेद अंतरिक्ष केंद्र के रूसी हिस्से में हुआ था। सुनीता का ज्यादा समय अमेरिकी हिस्से में बीतता था। छेद का पता लगाया रूसियों ने। उन्हें भी इसका पता न चलता अगर वे स्पेस वॉक पर न गए होते।

छेद ज्यादा बड़ा न था। बस कारतूस के आकार का। यह अपने प्रकार की पहली घटना थी। हालांकि इससे पहले अंतरिक्ष केंद्र के सोलर पैनलों और दूसरे हिस्सों में छेद होते रहे थे। लेकिन यह छेद कभी भीतरी हिस्से में नहीं हुए थे। जायरा मॉड्यूल में हुए इस छेद को गंभीरता से लिया गया। छेद का पता लगाया था फ्योदर यूरचिकिन और ओलेग कोतोव ने। इससे हालांकि अंतरिक्ष केंद्र यात्रियों को किसी प्रकार का नुकसान नहीं पहुंचा।

योग

सुनीता कितनी भारतीय है यह बात अलग है, लेकिन भारतीय खाना, गणेश और गीता और फिर योग की सीडी। ये चीजें उसके मूल को प्रतिबिंबित करती हैं। एक बार जब वह बहुत थकी थी, पांव में दम न था। उसे योग करने की सूझी। हालांकि उसे यह भी मालूम न था कि इससे कितना फायदा होगा।

उसे अंतरिक्ष से धरती हमेशा प्यारी लगी। खासकर रात में एक मजेदार अनुभव होता था। जो जगह दिन में वीरान और बंजर से दिखते थे, वहां भी रात में रौनक दिखती थी। शहर ज्यादा आकर्षक दिखते थे। हर दिशा में रोशनी ही रोशनी। लेकिन उसे कुछ देखकर दुःख भी हुआ। उत्तर और दक्षिण कोरिया की सीमाएं उसे ऊपर से भी साफ दिखीं।

महिला दिवस पर फूल

आठ मार्च, अंतरराष्ट्रीय महिला दिवस। इस दिन रूस में छुट्टी होती है। महिलाओं को फूल भेंट किए जाते हैं। लोग छुट्टी लेकर इस दिन को सेलिब्रेट करते हैं। सुनीता को उसके स्टेशन के एक सह अंतरिक्ष यात्री ने भी फूल भेंट किए।

सुबह सुबह पर्दे उठाना

अंतरिक्ष केंद्र से 27 हजार किलोमीटर से भी ज्यादा की रफ्तार से धरती का चक्कर, लेकिन फिर भी धरती को देखना एक प्यारा अनुभव। सुनीता कभी इस गति से चक्कर लगाती हुई धरती को देखना नहीं भूली! उसमें यह जानने की इच्छा बनी रहती थी कि अभी कहां है? उसे सुबह उठकर पर्दे हटाना वैसा ही लगता था जैसे घर में हो और बाहर देख रही हो। वह इसे रोज एन्जाय करती थी। उसके मुताबिक उसे यह सब करना पसंद था। घुप अंधेरे में भी बाहर देखती रहती और नए-नए खयालों में खोई रहती। उसे सभी महाद्वीप रंगों के आधार पर एक-दूसरे से अलग लगते थे। कोई लाल तो कोई हरा तो कोई सफेद तो कोई नारंगी।

इतना तेज?

अंतरिक्ष केंद्र की तेज गति सुनीता के लिए भी हैरत में डालने वाली थी। वह समझ ही नहीं पाती थी कि पलभर पहले वे फ्लोरिडा में थे तो पल भर में कैलिफोर्निया में।

कार्बन डाइआक्साइड पर नजर

अंतरिक्ष केंद्र पर सिर्फ ऑक्सीजन समस्या नहीं है। वहां हर गैस की मात्रा पर नजर रखनी पड़ती है। उन्हें संतुलित रखना पड़ता है। सुनीता के मुताबिक उन्हें अंतरिक्ष केंद्र के हर किस्से में कार्बन डाइऑक्साइड की मात्रा की जांच करनी पड़ती थी।

अंतरिक्ष में रहने का उसके लिए यह पहला अनुभव था। इसलिए जैसे-जैसे नए-नए अनुभव मिल रहे थे, वह अंतरिक्ष की परिस्थितियों से परिचित होती जा रही थी। एक दिन अचानक उसकी नजर अपने पैर के अंगूठे पर पड़ी। वह खाली पैर या सॉक्स में उड़ने की आदी हो चुकी थी। लेकिन उसने कुछ अजीब बदलाव देखा। वह भी कुछ ही महीनों

में। अंगूठे के जिस हिस्से का इस्तेमाल वह धरती पर करती थी, उसका कड़ा चमड़ा हट रहा था और जिस हिस्से पर धरती पर चमड़ा कोमल था, वहां कड़ापन आ रहा था। उसने अपने आपसे पूछा, 'यह क्या? क्या हम इतनी जल्दी एडप्ट कर जाते हैं?'

जो चमड़ा कड़ा हो रहा था, वह अंगूठे के अगले हिस्से में था। उड़ते समय या खुद को स्थिर करते समय वह उसी हिस्से का इस्तेमाल करती थी। अंदरूनी हिस्से का इस्तेमाल वहां नहीं हो रहा था। इसलिए त्वचा उड़ने लगी थी। वैसे उसके पैर सुंदर हो गए थे।

चोटों का अहसास नहीं

अंतरिक्ष में रहना कठिन तो है, लेकिन इसका अहसास कम सुखद और हैरतअंगेज नहीं। सुनीता भी ऐसा ही मानती है। सुनीता ने बताया कि वहां व्यस्तता के कारण यात्रियों के लिए खुशी मनाने जैसा कोई मौका जल्द नहीं होता। यहां तक कि काम के दौरान लगने वाली छोटी-मोटी चोटों का अहसास भी नहीं होता। सुनीता ने कहा, 'प्रवास के दौरान हाथों में कई प्रकार की चोटें आईं, लेकिन इनका अहसास तभी हुआ जब खाली समय मिला।' उसने साफ कहा कि वह मिशन पर गई थी, न कि अंतरिक्ष की सैर पर।

भारत के ऊपर से भी गुजरी

अंतरिक्ष प्रवास के दौरान कई अवसर ऐसे आए जब वह भारत के ऊपर से गुजरी। उसने यहां के पहाड़, पठार और मैदान, सबको स्पष्ट देखा। यहां की विविधता को देखना बहुत अच्छा लगा। एक दिन कुछ भारतीय छात्रों और पत्रकारों से उसने बातचीत की। उसने कहा, 'अंतरिक्ष अद्भुत है। सीमाहीन, एकदम शांत।' उसके बाल उड़ रहे थे और उसका नेकलेस गले में तैर रहा था। बातचीत में शामिल छात्राओं की रुचि मुख्य रूप से अंतरिक्ष से भारत के बारे में जानने में थी। एक

छात्र ने पूछा था कि राकेश शर्मा ने भारत को 'सारे जहां से अच्छा' बताया था, वह क्या सोचती है? उसका जवाब था, 'मुझे भारत को देखने के कई मौके मिले। यह सुंदर है। रंग-बिरंगा है। कहीं हरियाली तो कहीं लाल लाल पहाड़। एकदम अद्‌भुत।'

एक छात्र ने पूछा कि धरती पर आतंकी गतिविधियों के बढ़ने के कारण क्या अंतरिक्ष, सेटलमेंट का विकल्प हो सकता है? जवाब में उसने कहा, 'सवाल महत्त्वपूर्ण है। यहां सीमाएं नहीं होतीं। लोग मिलजुल कर काम करते हैं। काश! मैं सब कुछ बांट पाती।'

बातचीत के दौरान उसने यह भी दिखाया कि यहां लोग खाते-पीते कैसे हैं? अपने नाम पिता के लिखे पत्र को साथ ले गई सुनीता पूरी बातचीत में कुछ कुछ पीती रही। उसने कहा कि यह पहला दौरा है। अंतरिक्ष और अंतरिक्ष यान को समझने की कोशिश कर रही हूं। उसने भारत के अंतरिक्ष कार्यक्रम की प्रशंसा की और कहा कि अगर भारत चांद तक जाने की सोच रहा है तो अच्छी बात है।

गीता और गणेश

अंतरिक्ष केंद्र के निर्माण में योगदान के साथ सुनीता को लंबे समय तक एक और बात के लिए याद किया जाएगा। वह है भारत और इसकी संस्कृति को अविस्मरणीय बनाने के लिए। गीता और गणेश के रूप में सुनीता अंतरिक्ष में ऐसी यादें छोड़ आई है जिन्हें युगों-युगों तक याद किया जाएगा। अंतरिक्ष में सुनीता द्वारा उच्चारे गए गीता के श्लोक अनंत काल तक गूंजते रहेंगे। चाहे अंतरिक्ष केंद्र की दीवारें हो या खुला अंतरिक्ष, सब साक्षी बन गए हैं। हालांकि सुनीता अर्ध भारतीय है। जन्म से अमेरिका में पली-बढ़ी, लेकिन अपने पिता की मातृभूमि को, उसकी संस्कृति, दर्शन और अतुलनीय धरोहरों को सम्मान देकर उसने महान काम किया।

अंतरिक्ष केंद्र पर चढ़ाई

यह महज संयोग ही है कि आज जब दुनिया को उनके कर्तव्य के प्रति जागृत करने की सर्वाधिक आवश्यकता है, तब अपनी जिम्मेदारियों को सकुशल निभाने का डंका बजाकर धरती पर लौटी सुनीता के माध्यम से इस ग्रंथ की चर्चा हो सकी।

देखें तो सुनीता की जिंदगी में गीता का एक महत्त्वपूर्ण श्लोक :

कर्मण्यवाधिकारस्ते, मा फलेषु कदाचन,
मा कर्म फलहेतु भूमार्ति सड्गोस्त्वकर्मणि।

पूरी तरह चरितार्थ होता है अर्थात् कर्म करते जाए, फल की चिंता मत करो।

वह बचपन से एस्ट्रोनॉट बनना चाहती थी। ऐसे अवसर भी आए जब उम्मीदें खोने लगी थीं। लेकिन कर्म करती रही, धीरज रख आगे बढ़ती रही। नासा में भी उसे बरसों की तपस्या के बाद उड़ान भरने के अपने चिरस्थायी सपने को साकार करने का मौका मिला। यह उसकी हिम्मत, मेहनत और लगन का नतीजा था कि पढ़ाई-लिखाई में साधारण

होने के बावजूद सफलता की सीढ़ियां चढ़ती गई। इसका फल ऐसा मिला कि एक ही यात्रा में छा गई।

निराश सुनीता

अंटलांटिस लेट है। सुनीता के लिए यह खबर सदमे से कम न थी। उसके धरती पर लौटने का समय मौसम की वजह से एक बार टल गया था। उसे कहीं न कहीं यह बात साल रही थी कि उसके जाने से पहले उसके सहयोगी चले जाएंगे।

सुनीता को पता चल गया था कि अटलांटिस जल्द अंतरिक्ष केंद्र पर पहुंचने वाला है। उसकी जगह लेने आ रहे थे क्लेटन एंडरसन। सुनीता जानती थी कि वह नेबरास्का से ताल्लुक रखते हैं जहां मक्के ही मक्के होते हैं। अटलांटिस के जल्द आने और धरती पर स्वयं के लौटने की खुशी में उसने एक रात को मक्के ही मक्के खाए।

अपनी जगह लेने वाले क्लेटन एंडरसन के साथ अंतरिक्ष से बातचीत

अटलांटिस आ गया

'अटलांटिस आ गया।' अभियान 15 के सदस्यों के साथ अंतरिक्ष केंद्र पर अटलांटिस के पहुंचने पर सुनीता के मुंह से सिर्फ इतना ही निकला। उसकी खुशी का ठिकाना न था। ज्यादा टेंशन तो हर बार किसी न किसी कारण से बनते-बिगड़ते कार्यक्रमों ने पैदा कर दी थी। दूसरी तरफ लंबे समय तक रहकर वह उकता भी गई थी। अटलांटिस के आने के बाद काफी समय तक अंतरिक्ष केंद्र पर खुशी का माहौल रहा। गले मिलने से गिफ्ट और एक-दूसरे के लिए लाए संदेशों के आदान-प्रदान का दौर चलता रहा। डॉकिंग के तुरंत बाद डेनी ओलिवस ने यान के उस भाग की तस्वीरें लीं, जहां थर्मल ब्लैंकेट में दरार बताई गई थी, ताकि वे इस तस्वीर को नासा भेज सकें और नासा (मिशन कंट्रोल, ह्यूस्टन) में बैठे विशेषज्ञ उन्हें ठीक करने का सही तरीका ढूंढ़ सके। इन तस्वीरों के आधार पर ही नासा ने स्पेस वॉक के द्वारा इसे ठीक किए जाने का फैसला किया।

भावुक भी है!

आखिर वह समय आ ही गया जब सुनीता को लौटना था। अब तक अंतरिक्ष केंद्र सुनीता के लिए घर की तरह था और उस पर रह रहे यात्री परिवार की तरह। बेशक सुनीता धरती पर लौटना चाहती थी, लेकिन उसे लौटने का बहुत दुःख भी था। अटलांटिस की विदाई के वक्त माहौल वैसे ही गमगीन-सा हो गया, जैसे सोयूज यात्रियों के समय हुआ था। लेकिन इसमें एक अंतर था। जिनसे वह विदा ले रही थी, उनके साथ सोयूज के यात्रियों की तुलना में उसका ज्यादा समय बीता था।

अटलांटिस से लौटने वाले सातों यात्रियों को अंतरिक्ष केंद्र पर बचे यात्रियों ने गले लगाकर विदाई दी। सुनीता भी काफी भावुक थी। रूंधे

गले से कहा, 'केवल गुडबॉय कहना चाहती हूं।' उसने अपना स्थान लेने वाले क्लेटन एंडरसन से कहा, 'उम्मीद करती हूं मेरी गैर मौजूदगी में आप काम पूरा करेंगे।' एंडरसन ने सुनीता को धन्यवाद दिया और कहा, 'आपने मेरा बहुत मदद की है। जानता हूं आज का दिन आपके लिए दुखदाई है।' एंडरसन ने सुनीता को बहन जैसा माना और कहा कि उसके अधूरे कामों को पूरा करने की कोशिश करेंगे।

अभियान 14 के सदस्य माइकल लोपेज एलेग्रिया और मिखाइल त्यूरिन के साथ

विदाई के मौके पर शटल कमांडर रिक स्ट्रकोव ने सभी को संबोधित करते हुए कहा कि, 'यह महान मिशन था, पर हर अच्छी चीज का एक अंत होता है। हमने इस दौरान कई कठिनाईयों का सामना किया, लेकिन कठिनाइयां हल कर ली गईं। मिशन सफल रहा।' स्टेशन कमांडर फ्योदर यूरचिकिन कहां पीछे रहने वाले थे। यूरचिकिन ने कहा, 'निश्चय ही हमारे सामने दिक्कतें थीं, लेकिन सबने दिन-रात जी-जान से मेहनत की। आप लोगों को अलविदा। आपकी सुरक्षित वापसी की कामना करते हैं।'

अटलांटिस अंतरिक्ष केंद्र से रवाना होने के बाद नौ मिनट में ही अपनी कक्षा में पहुंच गया। बिना किसी कठिनाई के। परेशानी तो तब शुरू हुई जब बात लैंडिंग की बात आई। कनेडी स्पेस सेंटर पर मौसम खराब हो गया। शुरुआत में इस बात की चर्चा रही कि बृहस्पतिवार को यान उतर जाएगा, लेकिन अंततः यह शुक्रवार 22 जून को कैलिफोर्निया के एडवर्ड एयरबेस पर उतर सका।

सुनीता ने साबित किया

एबीसी नेटवर्क ने सुनीता के लौटने के बाद उसके सम्मान में कहा, 'उसने अंतरिक्ष में 29 घंटे 17 मिनट चहलकदमी भी की। इसी चैनल ने दिसंबर 2006 में उसकी आलोचना की थी। कहा था, 'सुनीता के लंबे बाल अंतरिक्ष में रहने के लिहाज से व्यावहारिक नहीं हैं। उसे बीमारी के कारण बाल खो चुके किसी व्यक्ति को दान कर देना चाहिए', लेकिन सुनीता ने न सिर्फ यह साबित किया कि वह केवल चहलकदमी कर सकती है बल्कि ट्रेड मिल के जरिये अंतरिक्ष में मैराथन भी दौड़ सकती है। उसने नासा को किसी बात के लिए निराश नहीं किया। मामला चाहे तकनीकी कामों का रहा हो या वैज्ञानिक प्रयोगों का। एबीसी नेटवर्क ने उसे 'पर्सन ऑफ द वीक' भी करार दिया।

अंतरिक्ष में मैराथन

धरती से 210 मील ऊपर ऐसे काम का प्रयास जो पहले किसी ने नहीं किया, लेकिन सुनीता ने करने का मन बनाया। उसने अंतरिक्ष से ही बॉस्टन मैराथन में हिस्सा लिया। सिर्फ वचनबद्धता के कारण। उसने ट्रेड मिल पर दौड़कर मैराथन पूरा किया। वह स्वयं भले आठ मील प्रति घंटे की रफ्तार से दौड़ी, लेकिन उसका यान उस दौरान पांच मील प्रति सेकेंड की रफ्तार से धरती का चक्कर लगा रहा था। उसने जब तक मैराथन पूरा किया, उसका यान (अंतरिक्ष केंद्र) धरती के कम से कम दो चक्कर लगा चुका था। हालांकि सुनीता जिन परिस्थितियों में दौड़ी, वह बॉस्टन से अच्छी थीं। बॉस्टन में कहां बरसात और गर्मी और अंतरिक्ष केंद्र पर वातानुकूलित माहौल, लेकिन इन बातों के बावजूद सुनीता के प्रयास के महत्त्व को कमतर नहीं आंका जा सकता। वह नया इतिहास लिख रही थी।

उसने जिस ट्रेड मिल पर दौड़ पूरी की, वह अंतरिक्ष के हिसाब से बना हुआ था। शरीर के निचले हिस्से और कंधों को थकाने वाला। उसने मैराथन पूरा करने में 4 घंटे 23 मिनट 10 सेकेंड का समय लिया। उसके लिए ऐसा करना काफी चुनौतीपूर्ण था। अंतरिक्ष में आनेवाली चुनौतियों को भला फ्लाइट सर्जन स्टीव हार्ट से बेहतर कौन समझ सकता है? दो वर्ष से सुनीता से जुड़े हार्ट ने कहा, 'अंतरिक्ष में तंदुरुस्त रहना चुनौती होती है।'

सुनीता फिटनेस को अपने अभियान का हॉलमार्क बनाना चाहती थी। वह लोगों को शिक्षित और प्रेरित करना चाहती है।

सुनीता के लिए मैराथन वैसे कोई नई बात नहीं थी। वह सधी हुई एथलीट थी और अंतरिक्ष केंद्र पर रहते हुए इसकी तैयारी कर रही थी। हर सप्ताह दो बड़ी और दो छोटी दौड़ उसके रूटीन में शामिल थीं। सुनीता के कसरत का जो कार्यक्रम बनाया गया था, वह डेढ़ वर्ष की मेहनत का नतीजा था। अंतरिक्ष यात्रियों की कंडीशनिंग कोच लित्जी लॉगलिन ने इसे तैयार किया था।

लॉगलिन ने कहा, 'सुनीता के प्रोग्राम जितना दूसरे अंतरिक्ष यात्रियों का प्रोग्राम कठिन नहीं होता। हम उतना उनके लिए प्रेस्क्राइब भी नहीं करते। सुनीता का फिटनेस लेवल लाजवाब है। वह समर्पित है और शायद हमारे सबसे अच्छे धावकों में से एक।'

अंतरिक्ष में उसकी दौड़ के लिए धरती पर भी गजब का सपोर्ट था। उसका उत्साह बढ़ाने के लिए उसकी बहन डिना पांड्या और पुराने दोस्त रोनी हैरिस ने भी दौड़ में हिस्सा लिया। सुनीता के बॉस्टन से लगाव के बारे में नौ सेना अकादमी के दोस्त रिक ने कहा, 'बॉस्टन के बारे में कुछ सुनीता के मन में जोश भर देता है। वह इस मैराथन में क्यों दौड़ी, यह समझने के लिए आपको इसका अनुभव लेने की जरूरत है।'

सुनीता के ऐतिहासिक प्रयास से आयोजक भी गदगद थे। उनके लिए भी यह पहला मौका था, जब किसी ने उपग्रह (अंतरिक्ष केंद्र) से दौड़ लगाई। 26.2 मील की दौड़ पूरा होने के बाद बॉस्टन एथलेटिक एसोसिएशन के जैक फ्लेमिंग ने कहा, 'वह दौड़ की दुनिया में नए पैमाने की अगुवाई कर रही हैं। सुनीता को इस दौड़ के लिए बिंब नंबर 14 हजार दिया गया था, इसलिए कि वह चौदहवें अभियान दल की सदस्य थी।

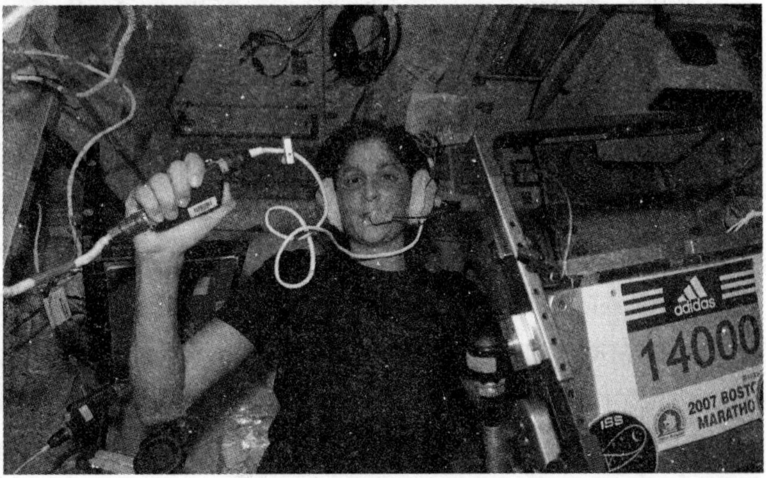

अंतरिक्ष में मैराथन

अमेरिकी नौ सेना की कमांडर सुनीता ने इससे पहले ह्यूस्टन मैराथन में हिस्सा लिया था और दौड़ साढ़े तीन घंटे में पूरी की थी, लेकिन अंतरिक्ष का अनुभव उसके लिए भी अलग रहा। जंजीरों में जकड़ी सुनीता दौड़ने के साथ-साथ मैराथन का सीधा प्रसारण भी देखती रही। उसके दोनों ओर दो लैपटॉप के जरिये मैराथन देखने की व्यवस्था की गई थी।

बॉस्टन मैराथन में सुनीता का हौसला बढ़ाने के लिए जॉनसन स्पेस सेंटर में सुनीता की सहकर्मी करेन नेबर्ग भी उतरी। उसके साथ

नासा के स्टीव हार्ट, लित्जी लॉगलिन, स्टेफनी टाउनसेंड आदि भी थे। सुनीता की बहन डिना भी सुनीता का हौसला बढ़ाने में पीछे नहीं रही। वह करीब-करीब उसी रफ्तार से दौड़ी जिस रफ्तार से सुनीता अंतरिक्ष में दौड़ रही थी। डिना हालांकि सुनीता की तुलना में मैराथन थोड़ा जल्दी खत्म करने में कामयाब रही। उसने 26.2 मील की दूरी 4 घंटे 14 मिनट और 30 सेकेंड में ही पूरी कर ली।

बॉस्टन मैराथन में भाग लेना हर एथलीट का सपना होता है। इसकी लोकप्रियता का अंदाजा इस बात से लगाया जा सकता है कि इसमें बाइस हजार लोग शामिल हुए थे। 200 प्रदर्शकों ने कपड़े, एनर्जी ड्रिंक और दर्द निवारकों के स्टॉल लगाए, लेकिन यहां भी नासा का स्टॉल बाजी मार ले गया। ब्रह्मांड के रहस्यों में रुचि रखने वाले हजारों दर्शक बरबस इसके स्टॉलों की ओर आकर्षित गए। नासा ने अंतरिक्ष यात्रियों के ऑटोग्राफ, उनके फोटो और अगले कार्यक्रमों संबंधी जानकारी पेश की थी।

यहां नासा की ओर से आए पैट्रिक विजर्ड ने कहा, 'प्रदर्शनी सकारात्मक रही।' अंतरिक्ष केंद्र कार्यक्रम के लिए काम करनेवाले विजर्ड ने कहा, 'बहुत से लोगों में गलत धारणा है। यहां आए लोग यह जान सके कि अंतरिक्ष यात्री किस प्रकार रहते हैं, किस प्रकार व्यायाम करते हैं। यह अच्छा अवसर रहा।'

लोगों को नासा द्वारा प्रदर्शित फोटो सबसे ज्यादा आकर्षक लगे। खासकर सुनीता विलियम्स के। यह पोज था अंतरिक्ष केंद्र में ट्रेड मिल पर दौड़ने का। जेफ विलियम्स के इस फोटो ने वाकई लोगों को दीवाना बना दिया। उसकी मां बोनी पांड्या तक। बॉस्टन से कुछ दूरी पर रहनेवाली बोनी ने नासा से नम्र निवेदन किया कि 'क्या वह अपने घर पर होनेवाली पार्टियों के लिए इस तस्वीर को ले जा सकेंगी?'

यह सुनीता का जलवा ही था कि नासा कि प्रदर्शनी हिट रही। पर्यटन विभाग में आए जूडिथ एंकरमैन भी चकित हो गए। एंकरमैन

ने कहा, 'मैंने कभी उनके (नासा) के फोटो के लिए ऐसी मारामारी नहीं देखी। स्टॉल पर अंतरिक्ष यात्रियों के ऑटोग्राफ के साथ यह सबसे लोकप्रिय चीज है।'

बॉस्टन मैराथन में अंतरिक्ष से सुनीता की भागीदारी ने लोगों पर अलग प्रभाव छोड़ा। नासा को भी इससे काफी लाभ पहुंचा है। इसकी सफलता से भविष्य में ऐसे और कार्यक्रमों को बढ़ावा मिलने की उम्मीद जताई गई है।

संभल-संभलकर दौड़ी

आपने अब तक यह जाना कि अंतरिक्ष में सुनीता ने ट्रेड मिल पर दौड़कर मैराथन पूरी की। लेकिन क्या वह उसी प्रकार वहां ट्रेड मिल पर पांव रख पाई जैसे हम धरती पर रखते हैं? क्या अंतरिक्ष में जोर से वजन डालने की स्वतंत्रता होती है?

अंतरिक्ष केंद्र पर उपयोग में लाए जाने वाले ट्रेड मिल विशेष तकनीक से तैयार किए जाते है। इनकी बनावट धरती पर इस्तेमाल होनेवाले ट्रेड मिल से अलग होती है। इंजीनियरों ने उसे इस प्रकार डिजाइन किया है कि एथलीटों के जोर का प्रभाव अंतरिक्ष केंद्र पर न पड़े। क्योंकि वहां विभिन्न प्रकार की गतिविधियां चलती रहती हैं। जोर का प्रभाव सोलर पैनलों से लेकर रेडिएटर, मॉड्यूल अटैचमेंट सिस्टम और यहां तक कि यहां होने वाले वैज्ञानिक प्रयोगों पर भी पड़ने की आशंका रहती है। लेकिन हड्डियों और मांसपेशियों को चुस्त-दुरुस्त रखने के लिए व्यायाम भी जरूरी होता है।

ऐसे में इंजीनियरों ने इसका हल निकाल लिया है। इंजीनियरों ने वाइब्रेशन आइसोलेशन तकनीक से लैस ट्रेड मिल और साइकिल बनाई है। लिहाजा ट्रेड मिल का इस्तेमाल करने वालों का जोर अंतरिक्ष केंद्र

पर नहीं पड़ता। अंतरिक्ष यात्रियों के जोर से होने वाले कंपन को अंतरिक्ष केंद्र पर पड़ने से पहले एब्जॉर्ब कर लिया जाता है अर्थात् कुल मिलाकर वहां शॉक एब्जॉबर्स लगे हुए हैं।

मैराथन और संतरे

मैराथन के दौरान सुनीता छह गैलन पानी पी गई। इस दौरान ताजे संतरे भी खाती रही। आप सोचेंगे अंतरिक्ष में ताजे संतरे? जी हां, ये रूसी यात्रियों के यान से आए थे। मैराथन के बाद तो सुनीता ने मजेदार भोजनों का जमकर लुत्फ उठाया। करी वाली सब्जी और चिकन। वह भी मजेदार चटनी के साथ।

स्पेस वॉक का रिकॉर्ड

स्पेस वॉक यानी अंतरिक्ष में चहलकदमी। दुस्साध्य नहीं पर अपने साइड इफेक्ट्स के कारण कठिन जरूर होता है। दबाव में परिवर्तन होने की स्थितियां शरीर कई बार नहीं झेल पाता है और अंतरिक्ष यात्री तरह तरह की बीमारियों के शिकार हो जाते हैं, लेकिन सुनीता ने इन बातों की परवाह कभी नहीं की। उसने एक महिला द्वारा सबसे ज्यादा स्पेस वॉक का कीर्तिमान बनाया।

सुनीता को पहली बार अंतरिक्ष में निकलने का अवसर दिसंबर में मिला था। 16 दिसंबर का वह स्पेस वॉक काफी छोटा था। कुछ ज्यादा काम नहीं कर सकी थी। उसके साथ थे अमेरिकी रॉबर्ट करबीम। उनके अंतरिक्ष में निकलने के कुछ देर बाद सुनीता ने अपने कदम अंतरिक्ष में रखे थे। उन्होंने नए क्लब में सुनीता का जोरदार स्वागत किया।

अंतरिक्ष में चहलकदमी

स्टेशन कमांडर लोपेज एलेग्रिया के साथ दूसरे स्पेस वॉक पर वह 31 जनवरी, 2007 को निकली। इस बार वह 7 घंटे 55 मिनट अंतरिक्ष में रही। दोनों ने कूलिंग सिस्टम और स्पेस शटल पॉवर ट्रांसफर सिस्टम (एसटीपीएस) को ठीक किया। एसटीपीएस पर काम कर दोनों ने ऊर्जा की आपूर्ति अंतरिक्ष केंद्र पर मौजूद शटल (अंतरिक्ष यान) तक सुनिश्चित की। हालांकि अभी इस सिस्टम का इस्तेमाल नहीं हुआ है। इसका इस्तेमाल अगले अभियान यानी अभियान संख्या एसटीएस-118 के दौरान होगा। उन्होंने अमोनिया सर्विसर पर भी काम किया। आपातस्थिति में स्टेशन पर कूलिंग के लिए इसकी जरूरत नहीं रह गई थी। उन्होंने इसे डिस्कनेक्ट किया।

4 फरवरी को सुनीता और लोपेज जब अंतरिक्ष में निकले तो उन्होंने करीब-करीब वही काम किए जो 31 दिसंबर को बच गए थे। आठ फरवरी को सुनीता और लोपेज नौ दिनों में तीसरी बार स्पेस

वॉक पर निकले। यह अपने-आपमें एक अनोखी घटना थी। इससे पहले कभी किसी मिशन पर ऐसा नहीं हुआ था। उन्होंने 8 फरवरी के स्पेस वॉक में कई तकनीकी समस्याओं को निबटाया। इस दौरान बहुत सारे ऐसे यंत्रों और उपकरणों को हटाया, जिसकी अब जरूरत नहीं रह गई थी। इन यंत्रों को अस्थायी तौर पर लगाया गया था। उन्होंने प्रोग्रेस की डॉकिंग की व्यवस्था को भी ठीक किया। इन चार स्पेस वॉक के जरिये सुनीता ने नया रिकार्ड बनाया। एलेग्रिया ने भी दस स्पेस वॉक पूरे किए।

माइकल लोपेज एलेग्रिया के साथ स्पेस वॉक की तैयारी

स्पेस वॉक नहीं आसान

अंतरिक्ष में चहलकदमी के लिए की जाने वाली तैयारियां सुनकर आप दंग रह जाएंगे। एक तरह से जोखिम में डालने का

काम। नई परिस्थितियां, नई बाधाएं और इनसे पैदा होनेवाली रोग-बीमारियां। स्पेस वॉक से पहले अंतरिक्ष यात्री भारी मात्रा में ऑक्सीजन लेते हैं। कोशिश होती है शरीर से ज्यादा नाइट्रोजन निकालने की। कारण यह होता है कि अंतरिक्ष में दबाव, अंतरिक्ष केंद्र की तुलना में कम होता है। दबाव के घटने पर खून में मौजूद नाइट्रोजन बुलबुले की शक्ल लेने लगते हैं। इससे दर्द और दूसरी अक्षमताएं पैदा होती है। इन अक्षमताओं को तकनीकी रूप से डिकंप्रेशन सिकनेस के नाम से जाना जाता है। गोताखोरों के साथ भी यह समस्या आती है। उनके साथ लेकिन स्थिति उलटी होती है। वे जब समुद्र के हर दबाव से ऊपर आते हैं तब डिकंप्रेशन सिकनेस के प्रभावित होने की आशंका होती है। गोताखोरों के लिए ऊपर आते ही यह उपलब्ध हो जाता है, लेकिन अंतरिक्ष यात्रियों को अंतरिक्ष में कुछ नहीं मिल पाता।

अंतरिक्ष में चहलकदमी

अंतरिक्ष में निकलने से काफी समय पहले इसकी तैयारी शुरू हो जाती है। चार घंटे पहले स्पेस सूट पहनना पड़ता है। अंतरिक्ष यात्री रात भर कम प्रेशर वाले कमरे या कैबिन में सोते हैं। ऑक्सीजन भरपूर मात्रा में लेते हैं। सुबह फिर से माहौल के मुताबिक ढलने के लिए सौ फीसदी ऑक्सीजन वाला मॉस्क लगाना पड़ता है। यहां तक कि टॉयलेट जाते वक्त भी। इसके अलावा उपकरणों, बैटरी वगैरह की जांच तो करनी ही होती है।

अंतरिक्ष में तैरती प्रयोगशाला–आईएसएस

अंतरराष्ट्रीय अंतरिक्ष केंद्र यानी आईएसएस अंतरिक्ष में तैरती प्रयोगशाला है। धरती के गुरुत्वबल से दूर जीवन की परिस्थितियों को जानने के लिए इसकी स्थापना की गई और अब तक इसे पूरा करने का काम चल रहा है। इस परियोजना से सोलह से ज्यादा देश जुड़े हैं, लेकिन मुख्य भूमिका अमेरिका और रूस की है। यूरोपीय स्पेस एजेंसी, कनाडा, जापान और ब्राजील जैसे देश भी इसमें काफी सहयोग कर रहे हैं।

सन् 2000 में स्थापित यह केंद्र धरती से करीब साढ़े तीन सौ किलोमीटर की ऊंचाई पर है। जब यह पूरी तरह बनकर तैयार हो जाएगा तो इसके आठ हिस्से (मॉड्यूल्स) होंगे। हर मॉड्यूल को एक-एक कर धरती से प्रक्षेपित किया जा रहा है। अंतरिक्ष यात्रियों के मिशन का मुख्य काम इन मॉड्यूल्स को जोड़ने का ही होता है।

सबसे पहला मॉड्यूल रूस ने छोड़ा था। इसे 2006 तक ही पूरा होना था, लेकिन अनुमान से ज्यादा खर्च ने बजट बिगाड़ दिया। अंतरिक्ष केंद्र के बनने से सबसे बड़ा लाभ यह है कि प्रयोगों के लिए आवश्यक उपकरणों से सुसज्जित स्थायी व्यवस्था हो जाएगी।

वैज्ञानिकों को उपकरणों को बार-बार लाने ले जाने की जरूरत नहीं पड़ेगी। साथ ही इस स्थान का उपयोग समय-समय पर पहुंचने वाले अंतरिक्ष यात्रियों द्वारा भी किया जा सकेगा। प्रयोग अंतरिक्ष में किए जाएंगे और उनके रिजल्ट धरती पर निकाले जाएंगे। अंतरिक्ष केंद्र को ऐसा बनाया जा रहा है कि कम से कम पंद्रह वर्ष चले। अगर ठीक प्रकार देख-रेख हुई, खराब पुर्जों को समय के हिसाब से बदला गया तो, दशकों दशक चल सकता है।

आईएसएस पर फिलहाल एक साथ तीन व्यक्तियों के स्थायी तौर पर रहने की व्यवस्था है। स्टेशन के भीतर यात्रियों के लिए हर प्रकार की सुविधाएं मौजूद हैं—रहने से लेकर प्रयोग तक की। यहां तक कि खाना गर्म करने के लिए ओवन और हीटर की व्यवस्था भी की गई है।

आईएसएस का इतिहास

अंतरिक्ष में मानव के रहने के ठिकाने या अंतरिक्ष केंद्र की शृंखला में आईएसएस का स्थान 9वां हैं। शुरुआत 70 के दशक में रूसी सैल्यूत और अमेरिकी स्काई लैब से हुई थी। 1986 में रूस ने मॉड्यूलर डिजाइन वाला पहला अंतरिक्ष केंद्र मीर नाम से लांच किया था। उन्होंने साथ ही आदमी और रसद लाने-ले जाने के लिए सस्ता और सुविधाजनक विकल्प भी ढूंढ़ा। यह सिस्टम सोयूज यान पर आधारित था।

1991 में सोवियत संघ के विघटन के बाद रूस ने मीर का बीड़ा उठाया। लेकिन तब तक यह पुराना हो चुका था। एकदम जर्जर। रूस ने इसे कक्षा से बाहर कर दिया। 90 के दशक में ही मीर-2 नाम से दूसरा अंतरिक्ष केंद्र बनाने की शुरुआत हुई। इसी दौरान अमेरिका ने

फ्रीडम नाम से अलग स्पेस सेंटर बनाने का प्रयास किया। उसे यूरोपीय स्पेस एजेंसी, कनाडा और जापान का सहयोग मिल रहा था, लेकिन फंड की कमी आड़े आ गई। 1993 में रूस और अमेरिका ने मिलकर अंतरिक्ष केंद्र बनाने का करार दिया। इसके बाद आईएसएस की संकल्पना साकार हुई।

फिर शुरू हुआ प्रयोगों का लंबा सिलसिला। अमेरिकियों ने 1995 से 98 के बीच मीर स्टेशन पर जाकर लगातार प्रयोग किए। ये छह-छह महीने तक रहे। सब कुछ ठीक चल रहा था कि रूस की आर्थिक स्थिति खराब होने से एक बार फिर आईएसएस को मूर्त रूप देने की योजना लड़खड़ा गई। रूसी सरकार ने आईएसएस के नाम पर फंड में कटौती कर दी। हालांकि 1998 में रूस ने जरया नाम से पहले हिस्से को अंतरिक्ष में छोड़ा। जरया यानी सूर्योदय। दूसरे मॉड्यूल के रूप में यूनिटी को अमेरिका ने प्रक्षेपित किया। इसके बाद जुलाई 2000 में रूस निर्मित तीसरे हिस्से जेवेद्जा (स्टार) को अंतरिक्ष में छोड़ा गया। इस मॉड्यूल में अंतरिक्ष यात्रियों के रहने और उनके काम के लिए जगह की व्यवस्था की गई।

इसी वर्ष डिस्कवरी यान के द्वारा कुछ और हिस्सों को भेजा गया। इसी वर्ष एक्सपेडिशन-1 नाम से पहली टीम ने भी आईएसएस पर कदम रखा। विलियम्स शेपर्ड ने दल का नेतृत्व किया। दो रूसी यात्रियों के साथ। इस दौरे पर सोलर पैनलों पर काफी काम किया गया। 2001 में इस केंद्र से अमेरिका ने डेस्टिनी लेबोरेट्री को जोड़ा। कुछ महीनों में इसे चालू कर दिया गया और शुरू हो गया वैज्ञानिक अनुसंधान का चिरप्रतीक्षित क्रम।

आईएसएस के चालू होने से दुनिया में एक बार नए प्रकार के पर्यटन का जन्म हुआ। उसे 'स्पेस टूरिज्म' यानी अंतरिक्ष पर्यटन का नाम दिया गया। 2001 में पहली बार किसी गैर वैज्ञानिक व्यक्ति ने अंतरिक्ष यात्रा का अवसर हासिल किया। पहले सैलानी के रूप में

इतिहास के पन्नों में डेनिस टीटो ने अपना नाम सुनहरे अक्षरों में दर्ज कराया। इस यात्रा के लिए हालांकि टीटो को काफी पसीना बहाना पड़ा था। उन्हें रूस में छह महीने की ट्रेनिंग दी गई। उन्हें वह सब बताया, सिखाया गया जो एक अंतरिक्ष यात्री को अंतरिक्ष में जाने से पहले बताया जाता है। दूसरा सैलानी बनने का गौरव प्राप्त किया—दक्षिण अफ्रीका के व्यापारी मार्क शटलवर्थ ने। 2002 में इन्होंने ने भी रूसी यान सोयूज के द्वारा यात्रा की। 2002 तक आईएसएस का काफी विस्तार हो गया था। अब इस पर यात्रियों के स्थायी तौर पर रुकने की व्यवस्था की जाने लगी। अमेरिकी योजना तो इसे तीन से ज्यादा लोगों के लिए बनाने की थी, लेकिन परियोजना पर आनेवाले अत्यधिक खर्च के कारण योजना को त्याग दिया गया।

2002 से आईएसएस पर अंतरिक्ष यात्रियों का दल लगातार बना है। 2003 में हुए कोलंबिया हादसे से भी इस पर फर्क नहीं पड़ा। यात्रियों को लाने ले जाने के लिए सोयूज का सहारा लिया गया। बीच में कुछ समय के लिए यात्रियों की संख्या भी घटाई गई, ताकि खर्च का बोझ कुछ कम हो सके।

अनुसंधान का प्लेटफार्म

आईएसएस में दो प्रमुख कार्य होते हैं। पहला मानवीय आबादी वाले उपग्रह के सभी सिस्टम को ठीक तरह चलाना और दूसरा मानवता के हित में ब्रह्मांड के उन रहस्यों को उजागर करना जो जीवन को प्रतिकूल परिस्थितियों में प्रभावित करते हैं। यहां प्रयोग का सिलसिला अनवरत चल रहा है। एक दिन भी ऐसा नहीं होता जब यहां कोई वैज्ञानिक नहीं होता। विज्ञानी चाहे जिस देश का हो, लक्ष्य एक रहता है कि किस प्रकार जीवन को गुरुत्वविहीन स्थिति में जिया जा सकता है? वैज्ञानिकों की रोज की दिनचर्या कंप्यूटरों पर दर्ज होती रहती है।

कोई काम शुरू करने से पहले वे अमेरिका और रूस स्थिति मिशन कंट्रोल से बात करते हैं। सोमवार से शुक्रवार का दिन काम का होता है और शनिवार और रविवार मस्ती का। वैसे शनिवार को सफाई का काम चलता है, लेकिन रविवार पूरी तरह छुट्टी का दिन होता है।

स्टेशन का कायाकल्प

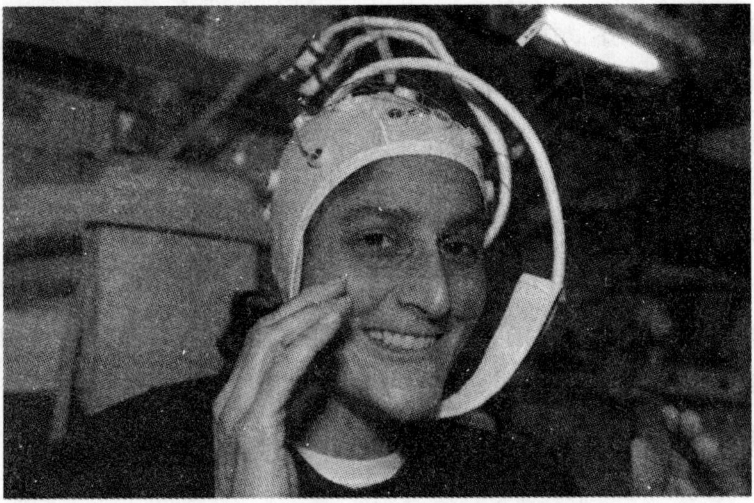

अंतरिक्ष केंद्र पर रेडिएशन संबंधी प्रयोग करती हुई

सुनीता को लाने गए अभियान दल (एसटीएस-117) के सदस्यों ने काफी काम किया। एक प्रकार से ऊर्जा आपूर्ति के मामले में इसका कायाकल्प कर दिया। जिम रेली और डैनी ओलिवस ने अपनी यात्रा के दौरान सात घंटे अंतरिक्ष में चहलकदमी की। इस दौरान उन्होंने 16 हजार 183 किलो भार का 45 फीट (14 मीटर) लंबा ढांचा आईएसएस के बाहरी हिस्से में लगाया। इस ढांचे में मूलतः सोलर पैनल्स लगे हैं जिनसे स्टेशन के लिए पर्याप्त बिजली पैदा की जा सकेगी। कहा गया है कि इन पैनलों से 14 किलोवॉट की बिजली पैदा हो सकेगी।

आईएसएस को पूरा करने पर अभी अरबों डॉलर खर्च होंगे और अभी कम से कम एक दर्जन उड़ानों की और जरूरत होगी।

तीन साल में पूरा होगा

अंतरराष्ट्रीय अंतरिक्ष केंद्र को तैयार करने में अभी तीन वर्ष का समय और लगेगा। सोलह देशों के सहयोग से बनाए जा रहे इस केंद्र के पूरी होने के बाद नासा इसे अन्य देशों को भी उपयोग करने की अनुमति देने पर विचार कर रहा है। नासा के अनुसार इस प्रोजेक्ट को पूरा करने पर सौ अरब डॉलर खर्च आएगा। नासा में अंतरिक्ष मामलों के संयुक्त प्रशासक विलियम गेरस्टेनमेयर के मुताबिक अब उन्हें अंतरिक्ष केंद्र के बेहतर उपयोग की दिशा में काम करना है।

अंतरिक्ष केंद्र का इस्तेमाल करने के लिए अमेरिका की कई एजेंसियों ने रुचि दिखाई है। द नेशनल इंस्टीट्यूट ऑफ हेल्थ, पेंटागन, नेशनल साइंस फाउंडेशन, दि ओसनिक एंड साइंटिफिक एडमिनिस्ट्रेशन, ऊर्जा और कॉमर्स जैसे एग्रीकल्चर डिपार्टमेंट वगैरह इसमें से प्रमुख हैं।

कार्यक्रम में नासा और पंद्रह अन्य देशों की निर्माण कार्य को पूरा करने के लिए बारह और शटल उड़ानों की योजना है। इसके निर्माण में तेजी का आदेश तत्कालीन अमेरिकी राष्ट्रपति जॉर्ज डब्ल्यू बुश ने दिया था। नासा इसके बाद चंद्र मिशन की ओर लौटेगा।

क्या धरती से दिखता है?

अंतरिक्ष केंद्र धरती से कभी-कभी दिखता है तो कभी नहीं। सुनीता जब अंतरिक्ष केंद्र पर थी, तब भारत के पुणे से आठ फरवरी को अंतरिक्ष केंद्र को देखा गया था। वहां के एमच्योर एस्ट्रोनॉमर्स एसोसिएशन ने इसके लिए एक विशेष कार्यक्रम का आयोजन किया था। इसे उस दिन नंगी आंखों से भी देखना संभव हो सका था।

अंतरिक्ष केंद्र के साथ इरिडियम उपग्रह को भी देखा गया। दोनों ऐसे दिखे जैसे अंतरिक्ष में कोई चमकदार वस्तु। उनमें चमक उनके सोलर पैनलों के कारण पैदा हो रही थी। जिन्होंने देखा अवाक् रह गए।

उपन्यास में हुई थी अंतरिक्ष केंद्र की कल्पना

आज वैज्ञानिकों की उड़ती प्रयोगशाला की चर्चा भले ज्यादा हो रही है, लेकिन इसकी कल्पना, अपनी तरह से ही सही, लेखक और साहित्यकार काफी पहले से करते रहे हैं। माना जाता है कि सबसे पहले 1869 में एक अमेरिकी ने अपने उपन्यास में ऐसी कोई कल्पना की थी। लेकिन उसका जुड़ाव अंतरिक्षीय प्रयोगों से न होकर नेविगेशन से था। उपन्यास में ऐसे सेंटर के माध्यम से समुद्र में भटके नाविकों को रास्ता दिखाने की कल्पना थी।

1923 में रोमानिया के हरमन ओबर्थ ने स्पेस सेंटर शब्द का इस्तेमाल किया था। उन्होंने अपनी परिकल्पना में कहा था कि यह बड़े पहिए के आकार को हो सकता है और चंद्रमा और मंगल पर जानेवालों को मदद कर सकता है। 1952 में डॉ. वेरनर बॉन ब्रॉन ने अंतरिक्ष स्टेशन संबंधी अपनी परिकल्पना को कोलियर्स मैगजीन में प्रकाशित किया। ब्रॉन ने ऐसे अंतरिक्ष केंद्र की व्याख्या की थी जो पृथ्वी से एक हजार मील से भी ज्यादा ऊंचाई पर स्थित है और उसका व्यास 250 फीट है। यह स्टेशन सेंट्रीफ्यूगल फोर्स के जरिये कृत्रिम गुरुत्वाकर्षण पैदा करने के लिए अपनी धुरी पर घूमता था।

इन परिकल्पनाओं के आधार पर 1971 में रूस ने अपना पहला अंतरिक्ष केंद्र सेल्युत-1 लांच किया। लगभग दो साल बाद 1973 में अमेरिका ने भी स्काई लैब लांच किया। लेकिन यह लैब 1974 में ही खराब हो गया। पूर्व सोवियत संघ अपने दीर्घकालिक मिशन पर काम करता रहा और उसने 1986 में मीर स्टेशन को स्थापित किया।

अंतरिक्ष केंद्र पर जिंदगी

अंतरिक्ष में तमाम सुविधाएं जुटा दी जाने के बावजूद जिंदगी आसान नहीं है। खाना खाने से लेकर नहाना और सोना तक काफी मुश्किल है। पूर्व अंतरिक्ष यात्रियों के मुताबिक सारा फर्क गुरुत्व बल का है। दिल तो वहां भी ऐसे धड़कता है जैसे धरती पर, लेकिन वहां हवा में लटके रहना पड़ता है। सीधे खड़े तक नहीं हो सकते। धरती पर आप सीढ़ियां चढ़ सकते हैं, लेकिन वहां नहीं। बिल्कुल भारविहीन। साथ ही खाने को तरह-तरह के व्यंजन नहीं मिलते। रूस, अमेरिका और जापान जैसे देशों से भेजे गए भोज्य पदार्थों पर निर्भर रहना पड़ता है। वहां सोना बड़ी मुश्किल से होता है। खड़े-खड़े या बैठकर यानी किसी भी मुद्रा में सोया जा सकता है। स्लीपिंग बैग भी उपलब्ध होते हैं जिन्हें दीवार या फर्श से जोड़ा जा सकता है। लेकिन इन सबके बावजूद सोने के लिए ज्यादा कोशिश करनी पड़ती है।

अंतरिक्ष यात्रियों को जब तक अंतरिक्ष में रहने की आदत पड़ती है, धरती पर लौटने का समय आ जाता है। लिहाजा एक बार फिर समस्या शुरू हो जाती है। उनके लिए अब धरती पर फिर से एडजस्ट करना मुश्किल हो जाता है। धरती पर लौटने के बाद इसीलिए उन्हें रिहैबिलिटेशन सेंटर में रखा जाता है। आइए जानें अंतरिक्ष केंद्र पर जीवन से जुड़े कुछ पहलुओं को।

तापमान

अंतरिक्ष स्टेशन पर जीवन के कठिन होने का एक और कारण है तापमान। किसी हिस्से में बहुत गर्मी तो किसी हिस्से में बहुत सर्दी, किसी हिस्से में अंधकार तो किसी में प्रकाश। कुल मिलाकर जीवन के लिए विकट स्थितियां, लेकिन वैज्ञानिक प्रगति ने जीवन की स्थितियों को सरल बना दिया है।

अंतरिक्ष केंद्र पर तापमान और पानी जैसी बाधाओं को वैज्ञानिकों ने अपने तरीके से हल कर दिया है। पानी की आपूर्ति अंतरिक्ष यान और प्रोग्रेस के जरिए कर दी जाती है, और तापमान को कंट्रोल करने के लिए अंतरिक्ष केंद्र को उष्मारोधी चादर ओढ़ा दी गई है।

अंतरिक्ष केंद्र पर तापमान तेजी से बदलता है। जो हिस्सा सूर्य की ओर होता है वहां का तापमान 121 डिग्री सेल्सियस तक चला जाता है तो विपरीत हिस्से में पारा इससे भी अधिक (157) डिग्री सेल्सियस तक गिर जाता है। यानी अति गर्मी और अति ठंड, दोनों ही चीजें जीवन के प्रतिकूल। अगर स्टेशन का कोई हिस्सा सामान्य होता है तो वह होता है मध्य भाग, लेकिन उष्मारोधी चादर की सहायता से अंतरिक्ष केंद्र पर तापमान में होनेवाले भयानक उतार-चढ़ाव पर काबू पा लिया गया है। चाहे धूप हो या अंधकार, हर हिस्से में तापमान एक-सा बना रहता है। थोड़ी गर्मी सिर्फ खिड़कियों से आती है। इन पर उष्मारोधी चादर नहीं डाली गई हैं। इसका कारण यह है कि अंतरिक्ष यात्री कई प्रयोग इन खिड़कियों के द्वारा भी करते हैं।

अंतरिक्ष केंद्र पर बाहरी ताप को नियंत्रित करने के बाद समस्या आती है अंदर मौजूद मशीनों और मानव से पैदा होनेवाली गर्मी को बाहर फेंकने की। वैज्ञानिकों ने एक्टिव थर्मल कंट्रोल सिस्टम के द्वारा इस समस्या का भी हल निकाल लिया गया है। इसके लिए अंदर कोल्ड प्लेट्स और हीट एक्सचेंजर लगाए गए हैं। ये ताप को कम करने का काम करते हैं।

अंतरिक्ष के बाहरी हिस्से पर चादर के रूप में एल्युमीनियम मिश्रित मायलर का इस्तेमाल किया गया है। धरती पर भी अत्यधिक ठंड की चपेट में आने वालों को बचाने के लिए इसका उपयोग किया जाता है। मायलर की तहां के बीच डैक्रन (एक प्रकार की फैब्रिक) का इस्तेमाल किया जाता है ताकि गर्मी एक से दूसरी तह में न जा सके।

अंतरिक्ष में खाना

अंतरिक्ष में लोग जब पहले पहल गए थे तब खाना और उसका पाचन एक रहस्य जैसा था। वैज्ञानिकों द्वारा तरह तरह के अनुमान व्यक्त किए गए थे। अमेरिका के पहले अंतरिक्ष यात्री जॉन ग्लेन को लें। अटलांटिक महासागर में कूदने से पहले उन्होंने सिर्फ पांच घंटे अंतरिक्ष में व्यतीत किए थे। उनको धरती की कक्षा में रहते हुए जो जो कार्य सौंपे गए थे, उसमें खाना खाना भी एक था। आज से करीब बीस साल पूर्व की इस यात्रा में खाना खाने की कोई खास आवश्यकता नहीं थी, लेकिन वैज्ञानिकों का उद्‌देश्य गुरुत्वविहीनता में पैदा होने वाली स्थितियों को जानना था ताकि आगे की उड़ानों को हिसाब से भोजन और पाचन को समझा जा सके। आगे की यात्राएं घंटों की नहीं, दिनों और सप्ताह की होने वाली थीं।

ग्लेन की उड़ान से पहले भी वैज्ञानिकों ने अलग-अलग संभावनाएं व्यक्त की थीं। कुछ ने माना कि खाना निगलना मुश्किल होगा। कुछ ने माना कि खाना कड़ा लगेगा। लेकिन ग्लेन के अनुभव इनसे विपरीत रहे। उन्हें तो अंतरिक्ष में खाना धरती से भी आसान लगा। खाना मुंह में रखते ही भीतर। हालांकि पैकेट बंद खानों में उन्हें स्वाद नहीं मिला।

ग्लेन के अनुभवों के बाद मेन्यू और पैकेट बनाने के तरीकों में भी अंतर आया। आज एल्युमीनियम के ट्यूब से कंटेनर बंद खाने तक की यात्रा हो चुकी है। आज वह बात नहीं रही जब अंतरिक्ष यात्री ट्यूब दबा-दबाकर किसी प्रकार पेट भरते थे। अब अंतरिक्ष यात्री अंतरिक्ष में कांटा-चम्मच के साथ विभिन्न व्यंजनों का मजा ले रहे हैं। साथ में तरह तरह के पेय भी पी लेते हैं।

अंतरिक्ष केंद्र वे चाहें तो बैठकर भी खाना खा सकते हैं। हर चीज की पूरी व्यवस्था है। अब तो खाने की वैरायटी की लिमिट भी कहने भर को है।

एक जमाना था जब अपोलो (1975) के यात्रियों के लिए 80 वेरायटी का मेन्यू तैयार किया गया था, तो इसे बड़ी उपलब्धि माना गया था। इस मिशन में पहली बार फ्रेश ब्रेड और चीज आदि को मेन्यू में सम्मिलित किया गया था। इसके बाद एक से बढ़कर एक सुविधाएं जुड़ती गईं।

अमेरिका ने जब स्काई लैब लांच किया था, तब इस पर ऐसे ट्रे की व्यवस्था की गई थी, जिस पर अंतरिक्ष यात्री अपना खाना बड़े आराम से खा सकते थे। ट्रे की बनावट ऐसी थी कि खाना के उड़ने या बिखरने जैसी परेशानी भी नहीं थी। इस ट्रे में खाना गर्म करने की क्षमता थी।

अंतरिक्ष केंद्र ही नहीं, अंतरिक्ष यान में भी खाना खाना अब पहले की तरह समस्या नहीं है। इसमें ट्रेन की तरह पूरी पेंट्री की व्यवस्था कर दी गई है। गर्म और ठंडा पानी भी मिलता है। अमेरिकी अंतरिक्ष यानों में लोग एक साथ बैठकर खाना खा सकते हैं।

इसमें एक अभियान सदस्य 20 से 30 मिनट में चार लोगों का खाना तैयार कर सकता है। पानी, यान के फ्यूल टैंक से मिल जाता है। अगर खाना गर्म करना हो तो उसके लिए ओवन की भी व्यवस्था होती है।

इस ओवन में विभिन्न प्रकार के कंटेनरों को डाला जा सकता है। खाने के बाद बर्तनों को साफ करने की भी व्यवस्था होती है। बर्तन को हालांकि भीगे कपड़े से ही साफ कर काम चलाना पड़ता है। नमक का इस्तेमाल तरल रूप में होता है।

शटल में मिलने वाला खाना महत्त्वपूर्ण होता है क्योंकि धरती छोड़ने के बाद आगे की यात्रा तक यानी कई कई दिन अंतरिक्ष यात्री इसी में होते हैं। कड़ी प्रक्रिया से गुजरने वाले अंतरिक्ष यात्रियों के लिए खाने के प्रकार का ज्यादा महत्त्व नहीं रह जाता है, लेकिन फिर भी कोशिश की जाती है कि उन्हें बढ़िया से बढ़िया खाना उपलब्ध कराया जाए।

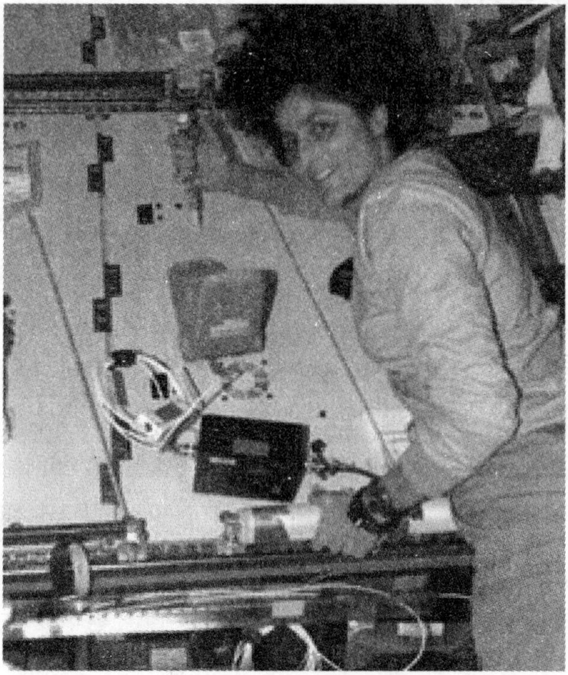

खाना गर्म करते हुए

अंतरिक्ष यानों में यूं तो 100 से ज्यादा व्यंजनों का मेन्यू होता है, लेकिन ज्यादातर व्यंजन छह दिन के बाद दुहराने लगते हैं। एक व्यक्ति के लिए प्रतिदिन तीन बार भोजन की व्यवस्था होती है। लेकिन इसके अलावा दो भोजन के बीच हल्के-फुल्के नाश्ते और पेय पदार्थों की भी व्यवस्था रहती है। मिशन के लिए रवाना होने वाले यानों में 96 घंटे के अतिरिक्त खाने की व्यवस्था होती है। खाने के रूप में हीट प्रोसेस्ड फूड, फ्रीज ड्राइड फूड और खाने को तैयार पदार्थों की अधिकता होती है। पेय पदार्थ पाउडर के रूप में होते हैं और उन्हें पानी डालकर पीने लायक बना लिया जाता है। खाने लायक तैयार चीजों में बिस्कुट, बादाम और चॉकलेट वगैरह होते हैं।

खाने में दिक्कतें

अंतरिक्ष यात्रियों के खाने में जिस बात का विशेष ध्यान रखा जाता है तो उनकी पोषण क्षमता। उनके लिए ऐसे खाने की व्यवस्था की जाती है जो प्रतिदिन 2800 कैलोरी सुनिश्चित कर सके। आज भी अलग-अलग वेरायटियों का कारण यही है। यही वजह है कि आज भी अंतरिक्ष यात्रियों को कहीं न कहीं खाने से समझौता करना पड़ता है।

अंतरिक्ष यात्रियों के खाने में यह भी देखा जाता है कि पोषक होने के साथ साथ कौन से खाने का वजन कितना होगा? किसी पैकिंग आसान होगी? इसलिए बहुत सारे व्यंजन अंतरिक्ष तक नहीं जा पाते। सुरक्षा की दृष्टि से तीन पहलुओं पर ध्यान दिया जाता है—जैविक, व्यावहारिक और यांत्रिक।

जैविक कारक का संबंध सुरक्षित और पोषक खानों से होता है। व्यावहारिक कारक का संबंध खाने की प्रकृति और उसकी पैकेटिंग से होता है। पैकेट का भार कम होना आवश्यक होता है। साथ ही पैकिंग ऐसी होनी चाहिए जो कम से कम तीस दिन चल सके। साथ ही पैकेट बंद खाना अंतरिक्ष में तैयार करने में आसान होना चाहिए। इतना ही नहीं खाने के बाद कचरे का डिस्पोजल भी आसान होना चाहिए। यांत्रिक पहलू के अंतर्गत स्टोरेज की बाधाएं आती हैं।

उन्हीं खानों को प्राथमिकता दी जाती है जिनका स्टोरेज (भंडारण) आसान होता है। इसके तहत यह भी देखा जाता है कि किस प्रकार का खाना लंबे समय तक दबाव, तापमान और कंपन जैसी चीजों को झेल सकेगा। इन तीनों चीजों के साथ-साथ खाने के साथ पानी की मात्रा का भी ध्यान रखना आवश्यक होता है।

टॉयलेट

अंतरिक्ष केंद्र पर वर्तमान समय में एक ही टॉयलेट है। यह रूसी हिस्से में स्थित है। नासा की योजना एक और टॉयलेट लगाने की है। पुराने टॉयलेट की तरह यह भी रूस में निर्मित होगा। इसकी लागत होगी एक करोड़ नब्बे लाख डॉलर। यह कीमत ज्यादा तो लगती है, लेकिन नासा के मुताबिक ऐसे किसी टॉयलेट के लिए यह सामान्य-सी लागत है। वह भी स्वयं बनाने से कम। नासा के प्रवक्ता लेनेट मैडिसन ने कहा, 'यह प्रोजेक्ट धरती पर किसी म्युनिसिपेलिटी टॉयलेट के तैयार करने जैसी ही है।'

रूसी टॉयलेट के पीछे तर्क यह दिया गया है कि अंतरिक्ष यात्री उससे भली-भांति परिचित हैं। इसमें एक विशेषता और होगी। पेशाब को ऐसी मशीन में स्थानांतरित किया जा सकेगा, जिससे पीने का पानी बनेगा। नया सिस्टम सन् 2008 तक अंतरिक्ष केंद्र पर पहुंच जाएगा। इसमें पुराने टॉयलेट की तुलना में प्राइवेसी और जगह दोनों चीजें ज्यादा होगी। अतिरिक्त टॉयलेट की व्यवस्था को आनेवाले बरसों में अंतरिक्ष केंद्र पर बढ़ने वाली गतिविधियों के कारण महत्त्वपूर्ण माना जा रहा है। सन् 2009 तक यहां तीन के स्थान पर प्रवासियों की संख्या छह तक पहुंच जाएगी।

अंतरिक्ष केंद्र और धरती पर इस्तेमाल होने वाले टॉयलेट करीब करीब एक समान होते हैं। स्पेस टॉयलेट में सिर्फ पांच को बांधने की अतिरिक्त व्यवस्था होती है, ताकि एस्ट्रोनॉट अपनी जगह पर बने रहें। नए टॉयलेट में प्रत्येक यात्री के लिए पेशाब स्थानांतरित करने के लिए अलग अलग नली उपलब्ध कराई जाएगी।

वर्तमान टॉयलेट में अपना पेशाब एक डिस्पोजेबल टंकी में जमा करना पड़ता है। जिसे वे मालवाहक (प्रोग्रेस) में डालकर छोड़ देते हैं। कचरे से भरा प्रोग्रेस वापसी में वायुमंडल में प्रवेश करते ही जल जाता है। माना जा रहा है कि नए टॉयलेट से पानी की रिसाइक्लिंग संभव

हो सकेगी। इससे अंतरिक्ष केंद्र पर पानी का एक-एक बूंद इस्तेमाल होने लायक बन सकेगा।

नया टॉयलेट उस करार का हिस्सा है जो नासा ने रूसी एयरोस्पेस कंपनी के साथ किया है। करार में कंप्यूटर सॉफ्टवेयर को नया बनाने, तकनीकी सहयोग, इंवेंट्री मैनेजमेंट वगैरह की शर्तें भी शामिल हैं।

अंतरिक्ष यात्रियों के कार्यक्रम

मामला चाहे मनोरंजन का हो या फिर किसी गंभीर काम का, हम एक कार्यक्रम तो तय करते ही हैं। अंतरराष्ट्रीय अंतरिक्ष केंद्र पर रहनेवाले यात्रियों के लिए भी इसी प्रकार कार्यक्रम तैयार किए जाते हैं। इनके कार्यों का प्रॉपर रिकार्ड रखने के लिए एक विशेष सिस्टम तैयार किया गया है। इसे ऑन बोर्ड शॉर्ट टर्म प्लान (ओएसटीपी) के नाम से जाना जाता है। यह ग्राफ के रूप में होता है।

ग्राफ बताता है कि कौन-सा व्यक्ति दिए गए समय पर क्या कर रहा है। लेकिन हर अंतरिक्ष यात्री के क्रियाकलापों को ग्राफ में उतारना कठिन होता है। अंतरिक्ष केंद्र पर प्रवासी जितने ज्यादा होते हैं, ग्राफ बनाना उतना ही कठिन होता है। ओएसटीपी की ऑप्रेशन प्लानर लीसा होलमेस्टी की मानें तो बहुत सारी बदलती परिस्थितियों का ध्यान रखना पड़ता है। हर दिन का ध्यान पड़ता है। हर दिन इसका ध्यान रखना पड़ता है कि अंतरिक्ष यात्रियों के दो कार्य एक समय पर न पड़ जाएं। यह भी देखना पड़ता है कि उस वक्त अंतरिक्ष केंद्र की स्थिति क्या होगी? कार्यक्रमों के समय निर्धारण को ह्यूस्टन स्थित अमेरिकी मिशन कंट्रोल और रूसी मिशन कंट्रोल के समय के हिसाब से भी देखा जाता है।

जब कार्यक्रम तैयार जाता है तो एक-एक छोटी-छोटी बात पर नजर रखी जाती है। जैसे खाने के बाद उन्हें कभी कसरत का शेड्यूल नहीं दिया जाता। स्पेस वॉक से पहले और बाद की स्थितियों का तो

विशेष ध्यान रखा जाता है। कई बार उपग्रह के माध्यम से सिग्नलों की उपलब्धता और अनुपलब्धता के हिसाब से भी कार्यक्रम में फेरबदल किए जाते हैं। होलमेस्टी की मानें तो अंतरिक्ष यात्रियों के कार्यक्रम को तैयार करने में सबसे ज्यादा कठिनाई उनके विभिन्न कार्यक्रमों के साथ कसरत का तालमेल बैठाने में आती है। अंतरिक्षीय कक्षा में पहुंचने के बाद भी कार्यक्रमों में अंतिम समय पर आवश्यकतानुसार बदलाव होते रहते हैं। सामान्यतः कार्यक्रम सप्ताह दर सप्ताह के अनुसार तैयार किए जाते हैं।

अंतरिक्ष यात्री कसरत के बाद इंटरव्यू शेड्यूल को भी पसंद नहीं करते, न ही स्पेस वॉक के आगे-पीछे। अभियान के शुरू होने के महीनों पहले कार्यक्रम का खाका खींच दिया जाता है। नासा का मानना है कि अंतरराष्ट्रीय अंतरिक्ष केंद्र के द्वारा मिल रहे अनुभव अगले अभियानों के लिए काफी फायदेमंद होगे।

क्या है नासा?

50 के दशक की बात है। सोवियत संघ अंतरिक्ष में तेजी से बढ़ रहा था। यूरी गागारिन के रूप में रूसी अंतरिक्ष में कदम भी रख चुके थे। किसी भी अमेरिकी के लिए नाकाबिले बर्दाश्त! खलबली-सी मची हुई थी। अमेरिका ने फैसला किया अंतरिक्ष कार्यक्रमों को तेज करने का और फिर नासा का जन्म हुआ। 1958 में अंतरिक्ष के क्षेत्र में तेजी से प्रगति के लिए नासा यानी नेशनल एयरोनॉटिक्स एंड स्पेस एडमिनिस्ट्रेशन (एनएएसए) का गठन कर दिया गया।

अब तक अंतरिक्ष कार्यक्रम एयरोनॉकिटक्स पर गठित राष्ट्रीय कमेटी की देख-रेख में चल रहे थे। करीब चालीस बरसों से यह स्थिति बनी हुई थी। लेकिन नासा के बनते ही स्थिति तेजी से बदल गई। सोवियत संघ से होड़ लेने के लिए गठित इस संस्था को 1960 तक चांद पर पहुंचने का लक्ष्य दिया गया। लक्ष्य किसी और ने नहीं बल्कि

तत्कालीन राष्ट्रपति जॉन एफ केनेडी ने दिया। नासा ने इस लक्ष्य को 20 जुलाई, 1969 को ही पूरी कर दिखाया। नील आर्मस्ट्रांग को चांद पर पहुंचने वाले पहले मानव होने का गौरव प्राप्त हुआ।

नासा आज भी आदमी के उन तमाम सवालों का जवाब देने में लगा है जो वह जानना चाहता है। अंतरिक्ष में क्या है? हम वहां कैसे रह सकते हैं? वहां क्या मिलेगा? वहां जानने या सीखने लायक क्या होगा? क्या वहां की जानकारियां धरती पर जीवन सुधारने में मददगार साबित हो सकेंगी? इन्हीं सवालों को सुलझाने की दिशा में उठाए गए कदमों ने जन्म दिया अंतरराष्ट्रीय अंतरिक्ष स्टेशन (आईएसएस) को। सोलह देशों की देशों की सहायता से इसे 2010 तक पूरा करने का लक्ष्य रखा गया है। नासा में सत्रह हजार लोग काम कर रहे हैं। दिन-रात रिसर्च चल रही है। अंतरिक्ष यात्राएं तो हो ही रही हैं, लेकिन कोशिश उन्हें और आरामदायक बनाने, साथ ही प्रदूषण कम करने की भी कोशिश की जा रही है। अगले कुछ बरसों में नासा नए प्रकार का अंतरिक्ष यान लाने वाला है। अभी इस पर प्रयोग चल रहे हैं।

नासा के अगले प्रोजेक्टों में चांद और मंगल की यात्राएं प्रमुख हैं। नासा की कोशिश अंतरिक्ष यात्रियों को चांद पर लंबे समय तक रखने और मंगल पर पहुंचाने की है। इसी प्रयास के तहत आईएसएस पर अंतरिक्ष यात्रियों को लंबे समय से लंबे समय तक रखा जा रहा है।

नासा की स्थापना को करीब पचास साल होने वाले हैं। और इसके कार्यों का असली रूप भी अब ही सामने आ रहा है। जो नए स्पेस शटल यहां बनाए जा रहे हैं वे चार लोगों को चांद तक ले जा सकेंगे। यही यान आईएसएस तक भी जाएंगे।

वाशिंगटन से संचालित यह संगठन ब्रह्मांड के बारे में ज्यादा से ज्यादा पता लगाने की कोशिश कर रहा है। अगले वर्ष यह रोबोट के जरिये मंगल पर नए मिशन की शुरुआत करेगा। साथ ही मंगल और

सौरमंडल के दूसरे हिस्सों के लिए भी रोबोट के जरिये उसके अभियान जारी रहेंगे। स्पिरट, अपरट्यूनिटी, मार्स रोवर और कैसिनी और हब्बल स्पेस टेलीस्कोप और इनमें मिली अद्भुत जानकारियां, नासा की ही देन हैं। नासा की जानकारियों का इस्तेमाल स्कूलों-कॉलेजों या वैज्ञानिक खोजों के लिए ही नहीं किया जा रहा, बल्कि आज इनकी मदद से कई विभागों को अपना काम सरल लगने लगा है। कई अमेरिकी विभाग नासा की जानकारियों के बूते पर ही आगे बढ़ रहे हैं।

धरती पर लौटकर

लौटने की खुशी सुनीता में कम न थी। गुरुत्वाकर्षण भले उसे परेशान कर रहा था, लेकिन उसकी भावनाओं को नहीं। वह समझ नहीं पा रही थी कि क्या कहे, क्या करे? हजारों की भीड़। उसकी वापसी को निहारती हजारों हजार आंखें और वह अकेली, वह भी भावनाओं से सराबोर। उसके लिए खुद को रोकना कठिन हो गया था। अंततः वह फूट पड़ी और इतना ही कह सकी, 'एक लड़की हूं, इसलिए इजाजत है। मैं नहीं जानती कि क्या कहना चाहिए। बहुत ऐसे हैं जिन्हें धन्यवाद करना चाहूंगी।'

उतरने के बाद उसके पांव तक ठीक न थे। वह कांप-सी रही थी। चलना तो दूर, उसके लिए खड़े होना भी मुश्किल था। हर समय उल्टी का एहसास हो रहा था। पहले 48 घंटे तक तो उसकी हालत ऐसी ही रही। उसे 48 घंटों तक गर्दन को तेज घुमाने, खुद के तेज चलने आदि में भी कठिनाई हुई, लेकिन 48 घंटे बाद सब ठीक हो गया। एक

सप्ताह बीतने के बाद तो बहुत सामान्य हो गई। उसकी हड्डियां, मांसपेशियां सब पूर्व शेप में आ गई। उसके मुताबिक कि वे समस्याएं तो कुछ पल के लिए अंतरिक्ष में जाने वालों को आती हैं। इसे न्यूरो-वेस्टिब्यूलर का नाम दिया जाता है।

समस्याएं कान से भी जुड़ी होती हैं। सुनीता ने बताया कि गुरुत्वाकर्षण में आने के बाद कान को भी एडजस्ट करने में समय लगता है। अब वह करीब-करीब वैसा ही महसूस करने लगी जैसा पहले करती थी। एक सप्ताह बाद ही वह परिवार के साथ सैर-सपाटे पर निकल सकी।

सुनीता 195 दिन बाद लौटी थी। उतरते ही उसे केप कोड बीच और पिज्जा की याद सताने लगी। उतरते ही सहयोगियों से कहा, 'मन कर रहा है पिज्जा खाऊं। पति और गोर्बी के साथ बीच पर टहलने जाऊं। लेकिन मुझे अंतरिक्ष केंद्र छोड़ने का भी दुःख हो रहा है।' उसने कहा, 'जब आप कहीं छह महीने रह लेते हैं तो वह अपने घर जैसा लगने लगता है। फिर उसे छोड़कर आना मुश्किल नहीं, बहुत मुश्किल होता है।'

सुनीता को जब परिवार के साथ रिहैब सेंटर (पुर्नवास केंद्र) से बाहर निकलने का मौका मिला तो वह सबसे पहले कैलिफोर्निया गई। उसके साथ ट्रिप पर सब थे, उसका गोर्बी, पति, मां और बहन। साथ में फिजिकल ट्रेनर इसलिए कि किसी प्रकार की परेशानी होने पर उसकी तुरंत देखभाल की जा सके। उसे घूमने-फिरने के दौरान रीढ़ में दर्द भी हुआ जो धरती पर लौटने के बाद आम समस्या होती है। लेकिन फिजिकल ट्रेनर ने मसाज से तुरंत ठीक कर दिया। यह दर्द अंतरिक्ष में रीढ़ में होनेवाले फैलाव और धरती के बाद उसमें होनेवाले सिकुड़न के कारण होता है।

अंतरिक्ष के अनुभवों के बारे में उसने कहा कि शुरुआत में तो उसे दोस्तों का सहयोग मिला, लेकिन धीरे-धीरे सब बंद हो गया। वहां उसे फोन बूथ जैसे केबिन में सोना पड़ता था। उसे दुनिया को

अपने पीछे पागल देख आश्चर्य तो हुआ, लेकिन दूसरी तरफ यह जानकर सुकून भी मिला। उसने कहा कि इसका मतलब है अंतरिक्ष यात्राओं में लोगों की रुचि है।

सुनीता की चाहत एक दिन चांद पर जाने की है, लेकिन ऐसा नहीं होने पर उसे दुःख भी नहीं होगा। वह फिर से अंतरिक्ष केंद्र पर जाने को तैयार है। उसने कहा, 'दोबारा जाने में खुशी होगी। बहुत मजा आया। वहां से धरती को देखना एक सुखद अनुभव था, लेकिन साथ ही उसने यह भी कहा, 'उसे हमेशा यह भी याद रहेगा कि कैसे दो लोग बातों-बातों में हाथापाई पर उतर आए थे।'

एक भारतीय चैनल के साथ उसने इंटरव्यू में सबसे पहले उसने अपार समर्थन के लिए आभार व्यक्त किया। सभी की शुभेच्छाओं के प्रति धन्यवाद ज्ञापित किया। उसने कहा कि यहां लौटना बड़ी बात है, लेकिन इससे बड़ी बात भारतीयों के समर्थन की है, उनके सहयोग की है। मैं उन सभी के प्रति आभारी हूं, जिन्होंने इस मिशन में मेरा साथ दिया।

अंतिम दस दिनों में पैदा हुई समस्याओं के बारे में उसका कहना था कि इन्हें लेकर उसे कभी कोई शंका नहीं हुई। हालांकि ये समस्याएं अचानक पैदा हुई थीं, लेकिन उसे विश्वास था कि आसमान में तैरते लोगों की सहायता के लिए धरती पर लोग बैठे हैं। उसने कहा, 'मुझे पता था समस्याएं हल कर ली जाएंगी। अंतिम दस दिनों में हमने बल्कि ज्यादा काम किए। वे काम तो किए ही जो हमारे मिशन के तहत सौंपे गए थे, कुछ इससे ज्यादा भी कर दिए।'

उसने इतनी बड़ी उपलब्धि के बावजूद यह मानने को तैयार नहीं हुई कि उसका कार्य उसके पिता से महान है। जो बात उसने उड़ान से पहले कही थी, वही उसने फिर दोहराई। उसने कहा, 'मैं ऐसे घर में पैदा हुई जो औरों से हटकर था। मेरे पिता करीब पच्चीस साल की उम्र में अमेरिका आ गए थे। अपने देश, परिवार को छोड़कर। उन्हें खुद पता न था कि वे यहां रह पाएंगे या लौटना पड़ेगा? जब इन चीजों की

ओर देखती हूं तो अपनी उपलब्धि छोटी मालूम पड़ती है। जहां तक मेरी मां का सवाल है तो वह भी साधारण परिवार से है। दोनों ने जब जिंदगी शुरू की तो उन्हें काफी समय बाहर रहना पड़ता था। लेकिन दोनों ने जीवन के रोमांच का मजा लिया। मेरे भाई-बहन या मुझमें जो संस्कार हैं उन्हीं की देन है। खुद को सम्मानित महसूस करती हूं कि जिस परिवार में पली-बढ़ी उसमें अलग-अलग संस्कृतियों का संगम था। खासकर भारतीय संस्कृति की इज्जत करती हूं। अगर भारतीय मुझे रोल मॉडल समझते हैं तो यह मेरे लिए बहुत बड़ा सम्मान है।'

अपने अगले लक्ष्यों के बारे में उसने कहा, 'इच्छा अंतरिक्ष कार्यक्रमों और खोज में योगदान देने की है। आनेवाले समय में अंतरिक्ष केंद्र पर प्रवासी वैज्ञानिकों की संख्या बढ़ेगी। हम लोग एक नया खोजी वाहन बना रहे हैं। यह स्पेस स्टेशन और चांद तक जाएगा। मेरी इच्छा उस कार्यक्रम में शामिल होने की है। वह कार्यक्रम मंगल की दिशा में अगला कदम होगा। इसलिए दोनों में से किसी कार्यक्रम में भागीदार बनना चाहूंगी।'

सुनीता को समय समय पर परिवार गोर्बी, समोसे और केप कोड के समुद्री तटों की याद जरूर आई, लेकिन अंतरिक्ष केंद्र पर उसने कभी अकेला महसूस नहीं किया, न ही उस वहां जीवन नीरस लगा। उसे कभी ऐसा नहीं लगा कि जैसे वह बहुत दिन रही हो। उसने कहा, 'काम बहुत थे। अंतरिक्ष केंद्र बन रहा है। समय तो यूं ही गुजर गया।'

उसे अपना काम चैलेंजिंग जरूर लगा, लेकिन धरती पर मौजूद सहायकों की सहायता से वह भी आसान हो गया। इंटरव्यू के अंत में उसने बच्चों से कहा, 'भविष्य तुम्हारा है। जुड़ जाओ। भागीदार बनो। शारीरिक चुस्ती इसके लिए बहुत आवश्यक है। स्वस्थ रहो और शरीर को सुडौल रखो। इतने बड़े कार्य के लिए यह भी इतना ही आवश्यक है। चाहूंगी कि सारे बच्चे इससे जुड़ें। सचमुच यह महान कार्य है।'

अनूठा अहसास

‘लौटकर बहुत अच्छा लग रहा है। जमीन पर पैर रखने का अहसास भी अनूठा लग रहा है। शुरुआती 24 से 48 घंटे मुश्किल थे, क्योंकि ग्रैविटी में रहने की आदत छूट गई थी। इसीलिए हमें फिलहाल रिहैब सेंटर में रखा जा रहा है। हम लोग पैंतालीस दिन तक यहीं रहेंगे। यहां पृथ्वी के हिसाब से रहने की आदत डाल दी जाती है।’

गोर्बी ने पहचान लिया

सुनीता को स्पेस से भी इस बात की फिक्र हो रही थी कि उसका प्यारा गोर्बी उसे पहचानेगा या नहीं? लेकिन गोर्बी ने आखिकार उसे पहचान ही लिया। जैसे ही सुनीता नासा सेंटर में गोर्बी से पहली बार मिली, वह दौड़कर उसकी गोद में जा बैठा।

195 दिन

सुनीता ने कहा कि अगर इंसान धरती से मंगल तक जाए तब भी करीब इतना ही वक्त लगता है। इंटरनेशनल स्पेस स्टेशन पर लंबा वक्त गुजारना हमारे लिए इस मायने में फायदेमंद है कि हम समझ पाएंगे कि लंबे मिशन के दौरान अलग-अलग लोगों का अनुभव कैसा रहेगा। स्पेस स्टेशन पर लंबे समय तक टिकना ही हमारा बड़ा काम था, क्योंकि हम इसी से पता लगाएंगे कि जब इंसान मंगल पर जाएगा तो इतने वक्त वह कैसे रह पाएगा।

साकार करो सपने

‘जब भी किसी स्कूल या कॉलेज में जाती हूं तो एक बात बच्चों को हमेशा बताती हूं कि अपनी नाकामियों से सीखो। स्कूल टाइम में मैं एक या दो बार क्लास में फेल हो गई थी। लेकिन नाकामियों से हार नहीं मानी बल्कि सीखा। आज इस मुकाम पर पहुंचना उसी की देन

है। इसलिए आप जो गलतियां करते हैं उनसे लिए गए सबक कामयाबी के नए दरवाजे खोलते हैं।'

कसरत न करती तो...

स्पेस में रोज भारी पसीना बहाने का सुनीता को कोई शौक नहीं था। यह मजबूरी थी। बकौल सुनीता, 'अंतरिक्ष में ग्रैविटी कम होने का असर हड्डियों और मांसपेशियों पर पड़ता है। हम हर वक्त तैरते रहते हैं। अतः कुछ करने का मौका नहीं मिलता। हड्डियों और मांसपेशियों को मजबूत रखने के लिए खूब कसरत करनी पड़ती है। इसके लिए हमने ट्रेड मिल और साइकिल पर काफी वक्त बिताया ताकि धरती पर लौटने के बाद हम चल सकें। बॉस्टन मैराथन में हिस्सा लेकर भी मुझे बहुत मजा आया।'

सपने में भी न सोचा था

सुनीता ने कहा कि उसने सपने में भी नहीं सोचा था कि वह इतनी मशहूर एस्ट्रोनॉट बन सकेगी। आज भी उसे विश्वास नहीं होता। जब इस पर सोचती है तो सब मजेदार वाकया लगता है। उसे जानवरों से प्यार था और जानवरों की ही डॉक्टर बनना चाहती थी। कैरियर में मोड़ तो नौ सेना अकादमी की देन रही। अपने स्पेस वॉक को उसने अविस्मरणीय बताया। उसके मुताबिक जब आप अंतरिक्ष में चहलकदमी कर रहे होते हैं तब व्यक्ति और अंतरिक्ष के बीच में सिर्फ और सिर्फ उसका विजन होता है। सारा ब्रह्मांड नजरों के सामने होता है।

भारत की बेटी कहिए

सुनीता के सही सलामत लौटने के बाद ह्यूस्टन में रह रहे उसके पिता दीपक पांड्या ने कहा, 'मैं उसे मिस यूनिवर्स की बजाय भारत की

बेटी कहना पसंद करूंगा। नासा से अनुमति मिलने के बाद हमारा पूरा परिवार भारत जाएगा।'

श्री पांड्या शुरू से ही सुनीता की वापसी को लेकर आश्वस्त थे। उन्होंने कभी इस पर चिंता नहीं जताई कि थर्मल ब्लैंकेट में दरार आ गई है या अंतरिक्ष केंद्र के कंप्यूटर खराब हो गए हैं। उनके मुताबिक नासा ने पूरे मामले को गंभीरता से लिया, इसलिए उनके सोचने जैसी कोई बात नहीं थी। पांड्या परिवार को ही नहीं, तमाम भारतीयों को इस बात की काफी चिंता हुई। जगह-जगह प्रार्थनाएं की गईं। उन्होंने लोगों की भावनाओं के प्रति आभार जताया और सब का धन्यवाद किया।

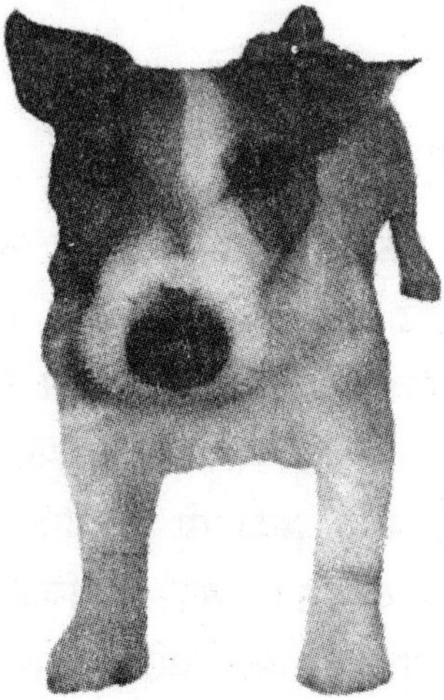

सुनीता का प्यारा गोर्बी

सुनीता जितने दिन अंतरिक्ष में अपने मिशन पर रही, उतने दिन तक उसकी मां का भी एक मिशन चलता रहा। उसकी मां उसके लिए एक अनोखा गिफ्ट तैयार करने में जुटी रही। वह उसके लिए गोर्बी का फोटो एलबम तैयार कर रही थी। शायद सुनकर अटपटा लगे कि

उसकी मां ने यह कौन-सा गिफ्ट इतनी महान बेटी के लिए तैयार किया, लेकिन मां बोनी पांड्या अच्छी तरह जानती थीं कि सुनीता को अगर सबसे ज्यादा कोई या कुछ पसंद है तो वह है गोर्बी। उसने गोर्बी के 101 फोटो का एलबम तैयार किया। फोटो विभिन्न मुद्राओं में लिए गए थे। बोनी पांड्या सुनीता को शायद यह अहसास कराना चाहती थीं कि उसने अपने प्यारे गोर्बी के किसी शैतानी को मिस नहीं किया। बोनी पांड्या ने कहा, 'मैंने उसके बहुत सारे फोटो लिए हैं। उसने सुनीता की अनुपस्थिति में जो कुछ किया, कैमरे में कैद है। लोगों को हँसी आएगी, लेकिन बात सुनीता के प्यार की है। उसे गोर्बी से हद से ज्यादा लगाव है।' सुनीता अंतरिक्ष में जाने से पहले गोर्बी को मां के हवाले कर गई थी और वह छह महीने तक वहीं रहा। उसकी मां को इस बात की निराशा रही कि उन लोगों को सुनीता के लौटने के तुरंत बाद उससे मिलने नहीं दिया गया। सिर्फ उसके पति को ही सुनीता को करीब से मिलने की अनुमति दी गई, लेकिन शीशे की एक दीवार दोनों के बीच मौजूद रही।

राष्ट्रपति और प्रधानमंत्री की बधाई

पूरे देश ने सुनीता को एक भारतीय के रूप में देखा। राष्ट्रपति, उपराष्ट्रपति और प्रधानमंत्री मनमोहन सिंह ने उसे बधाई संदेश भेजे। तत्कालीन राष्ट्रपति मिसाइल मैन ए.पी.जे. अब्दुल कलाम ने उसकी वापसी के साथ-साथ उसके मिशन की सफलता के लिए भी बधाई दी।

सुनीता और सवाल

सुनीता ने अंतरिक्ष में जाकर न सिर्फ तमाम प्रयोग किए, बल्कि उसके समय का बड़ा हिस्सा शैक्षिक गतिविधियों के नाम रहा। स्कूली बच्चों को अंतरिक्ष की जानकारी, उनके कौतूहल को शांत करना और अनदेखी दुनिया की जानकारी देना, उसके कार्यक्रम में शामिल था। उसने न सिर्फ स्कूली बच्चों, स्काउट गाइड वगैरह से बात की बल्कि उनके लिए जमकर फोटोग्राफी भी की।

अंतरिक्ष में रहते हुए उसने भारत समेत दुनिया के दर्जनों स्कूलों के छात्रों से बातचीत की। दिल्ली के वसंत वैली स्कूल के छात्रों से जब उसकी बातचीत हुई तो स्कूल ही नहीं आसपास के स्कूलों के छात्र भी सांसे थाम करीब दस मिनट तक अंतरिक्ष केंद्र से बातचीत सुनते रहे। कई विदेशी विशेषज्ञों की सहायता से हुई बातचीत इतनी स्पष्ट थी कि जैसे सुनीता सामने बैठी हो उनके सवालों का जवाब दे रही हो। छात्रों के सवाल भी एक से बढ़कर एक रहे।

एक छात्र ने पूछा, 'अगर कोई बुलेट अंतरिक्ष केंद्र को लगे तो क्या होगा? साथ ही यह भी कि आप अंतरिक्ष केंद्र पर सीमित साधनों से कैसे मैनेज करेंगी?'

अंतरिक्ष केंद्र पर बिताए पलों को सुनीता ने जीवन का बेजोड़ पल बताया। उसने कहा कि जब वह पहली बार अंतरिक्ष में चहलकदमी को निकली तो धरती को देखकर उसकी आंखें फटी रह गईं। खाने-पीने के सवाल पर उसने हलवे को मजेदार बताया। साथ ही यह भी कहा कि समोसे की याद सता रही है। भारत के स्कूलों में एपीजे, जालंधर के छात्रों को भी मौका मिला था।

सुनीता ने विदेशी स्कूलों में प्राइमरी स्कूल तक के छात्रों से बात की। उसने स्पेन, इटली, जर्मनी, स्वीडन, अमेरिका, पुर्तगाल, कनाडा और हंगरी जैसे देशों के छात्रों से बात की। कई स्कूलों के छात्रों को दर्जनों सवाल पूछने का मौका मिला तो कुछ को दो-चार। स्कूलों में सवालों का चुनाव करना भी कठिन काम था। बिनबैगो स्कूल, नेबरास्का में तो नवीं से बारहवीं तक के छात्रों के बीच पूछे जाने वाले सवाल के लिए प्रतियोगिता का आयोजन ही करवा दिया गया। जिनके सवाल श्रेष्ठ निकले, उन्हें सुनीता से बातचीत का मौका मिला।

कभी छोटे बच्चों की टीचर बनने की इच्छा रखने वाली सुनीता ने अपने इस एसाइनमेंट को दिल से एंजॉय किया। उसने जब धरती से इस संबंध में संदेश भेजा गया कि वह अच्छा कर रही है तो उसने फट जवाब दिया, 'मैं ऐसे और कार्यक्रमों में हिस्सा लेना चाहूंगी।' अंतरिक्ष के फोटो की स्कूलों कॉलेजों में कितनी डिमांड रही, इसका अंदाजा इस बात से लगाया जा रहा है कि एक सप्ताह में उसके पास 98 स्कूलों और छह हजार छात्रों की डिमांड थी।

22 जून को महिला स्काउटों से बातचीत में एस्ट्रोनॉट बनने तक के सफर के कई पहलुओं का भी सुनीता ने खुलासा किया। उसने विशेषतः उन प्रशिक्षणों का उल्लेख किया जिससे एस्ट्रोनॉट को गुजरना पड़ता है। उसने कहा, 'अंतरिक्ष बहुत विषम परिस्थितियों वाला स्थान

है। माइक्रोग्रेविटी (गुरुत्वविहीनता) में रहने की आदत को छोड़ बाकी स्थितियों से निबटने का सबसे बढ़िया तरीका प्रशिक्षण है। अंतरिक्ष में लंबे समय तक रहना एक प्रकार से कैद की तरह होता है, इसलिए प्रशिक्षण में मनोवैज्ञानिक, दबाव में समरूप कार्य निष्पादन, कठिनाइयों में जीने की आदत, अकेलेपन से उबरना, निर्णय क्षमता आदि पर विशेष जोर दिया जाता है। इस प्रशिक्षण का मिशन पर पूरा लाभ मिलता है, एस्ट्रोनॉट को तारों और तारामंडल की भी जानकारी दी जाती है ताकि अंतरिक्ष में रहकर वे पता लगा सकें कि उनकी (अंतरिक्ष केंद्र) की स्थिति क्या है?'

उससे इस बातचीत में तेरह साल की अलाना ने बहुत महत्त्वपूर्ण सवाल पूछा कि महिला होने के नाते इस प्रोफेशन में आने में आपके सामने क्या बाधाएं आईं?

सुनीता ने कहा कि सवाल मजेदार है, लेकिन उसका जवाब नपा-तुला रहा। उसके अनुसार उसने कभी इस पहलू पर सोचा ही नहीं। और जब तक लोग किसी विषय पर सोचते नहीं, तब तक वह मुद्दा नहीं बनता। सारा फर्क सोच का होता है। उसने कहा, 'एस्ट्रोनॉट बनने से पहले भी मैं ऐसे क्षेत्र में थी जहां पुरुषों की अधिकता थी। अमेरिकी नौ सेना में हेलीकॉप्टर पायलट, उससे पहले नौ सेना अकादमी में रही। वहां भी महिलाओं पर पुरुष हावी थे। लेकिन मैंने कभी इस पर ध्यान नहीं दिया। मुझे नहीं लगा कि पुरुष या महिला होने का मुद्दा मेरी सफलता को प्रभावित करेगा।

मैंने अपने आपमें हमेशा यही सोचा कि जहाज, हेलीकॉप्टर, स्पेस सूट, अंतरिक्ष यान यह नहीं जानते कि उसे महिला या पुरुष नियंत्रित कर रहा है। कुछ लोग ऐसे होते हैं जो ऐसा नहीं सोचते और वे खुद के लिए बाधा बनते हैं। मेरा मानना है कि व्यक्ति के काम, शब्दों से ज्यादा बोलते हैं। इसलिए मैंने अपनी ओर से सब झोंक दिया—पूरी ईमानदारी के साथ। लोग इसे समझते हैं और इसकी कद्र करते हैं।'

एक छोटी बच्ची सारा ने पूछा कि वहां से धरती कैसी लगती हैं तो सुनीता की धरती को लेकर और बार से इस बार अलग प्रतिक्रिया रही। उसने कहा, 'धरती को देखना अच्छा लगता है, मुस्कराहट आ जाती है। दुनिया के हर हिस्से की अपनी विशेषता है।'

दक्षिणी ध्रुव के बर्फों के निकट स्थित दक्षिण अमेरिका को देखना उसे बहुत रोमांचकारी चॉकलेट की तरह लगा। उसे आसमान से अफ्रीका के मरुस्थलीय हिस्सों में होनेवाला भू-क्षरण भी स्पष्ट नजर आया। भारत और पूर्व को देखना तो उसे पूरी तरह रहस्यमय लगा। उसे सबसे अच्छा ऊपर से लगा सीमाविहीन धरती। उसे लगा जैसे सब एक हों, इस बात का कोई मतलब नहीं कि कौन कहां रहता है। किसका इतिहास क्या है?

उससे जॉर्जिया की नौ साल की कनेया ने पूछा कि क्या उसे डर नहीं लगा? सुनीता का जवाब था, 'एकदम कूल क्योंकि उन्हें इसका बहुत ज्यादा प्रशिक्षण दिया जाता है। सारा डर खत्म हो जाता है।' उसने कहा, 'ऊपर भी देखा, नीचे भी। हम धरती के ऊपर उड़ रहे थे। सब कुछ आश्चर्यजनक था। ऐसा लगा जैसे मैं यहीं की हूं।'

सवाल ही सवाल

सुनीता के छह महीने के प्रवास के दौरान उससे विभिन्न विषयों और विभिन्न पहलुओं पर उसके अनुभवों को लेकर तमाम सवाल पूछे गए। जब कभी उसकी धरती पर बात होती, उसके लिए सवाल ही सवाल मौजूद होते थे। हालांकि ज्यादातर सवाल एक जैसे ही पूछे जाते थे। लेकिन कुछ सवाल अलग भी रहे।

डर भी लगता है?

'कभी-कभी, जब यहां विचित्र आवाज होती है। अंतरराष्ट्रीय अंतरिक्ष केंद्र भी चूंकि एक मशीन है, तो यहां भी कभी पंप की, हवा चलने की, और कंप्यूटर से तरह-तरह की आवाजें निकलती रहती हैं।

स्थितियां कुछ ऐसे ही होती हैं, जैसे पानी के जहाज पर होता है। ऐसी आवाजें सुन मैं अचरज में पड़ जाती हूं। सोचती हूं, यह क्या है? लेकिन उनके बारे में जानती कुछ नहीं हूं। कभी-कभी तो यह भी लगता है कि अगर किसी मेटराइट से अंतरिक्ष केंद्र टकरा गया तो क्या होगा? स्टेशन के ऊपर चढ़ाया गया कवर क्या हमें बचा पाएगा? हालांकि मुझे मालूम है सैकड़ों लोग हमारे पीछे हैं। हमारा ध्यान रखने के लिए। जब हम सोते भी हैं तब भी मशीनों पर वे नजर रख रहे होते हैं। कोई परेशानी होगी तो वे हमें सावधान भी कर देंगे ताकि हम सब कुछ संभाल सकें।'

माई नेम इज वेल बिहैव्ड

सुनीता। हमें यह शब्द ऐसे ही इतना परिचित लगता है कि हम इसके अर्थ तक जाने की कोशिश नहीं करते। लेकिन जब सुनीता से एक लड़की ने पूछा कि उसके नाम का मतलब क्या है तो उसने बहुत अच्छे समझाया। उसने अंग्रेजी में कहा, 'वेल बिहैव्ड। यानी अच्छे व्यवहार वाली। शायद मेरे माता-पिता को उम्मीद थी कि...मैं बचपन में बहुत सुंदर थी। लेकिन गलतियां भी बहुत कीं, लेकिन मेरा एक मजबूत पक्ष रहा। अपनी गलतियों से सीख लीं। उन्हें दोहराने की कोशिश नहीं की। गलतियां जीवन का अंग हैं। इससे आपको बेहतर इंसान बनने में मदद मिलती है।'

स्वाद बदला है?

'हां, बिल्कुल! हम कभी जिस चीज को खा रहे होते हैं, उसे देखने तक को जी नहीं करता। माना जाता है कि ये परिवर्तन गुरुत्वविहीन परिस्थितियों में होनेवाले मनोवैज्ञानिक बदलाव के कारण होते हैं।'

एस्ट्रोनॉट बनने के लिए कॉलेज में गणित पढ़ना जरूरी है?

'एस्ट्रोनॉट बनने के लिए विज्ञान इंजीनियरिंग या गणित में बैचलर की डिग्री जरूरी होती है। भौतिकी और कैलकुलस में ज्यादा ज्ञान की

जरूरत होती है। लेकिन एस्ट्रोनॉट बहुत सारे क्षेत्रों से आ रहे हैं। डॉक्टर, भौतिकी विशेषज्ञ, इंजीनियर, केमिस्ट, गणितज्ञ, टेस्ट पायलट, यहां तक कि पशु चिकित्सक भी एस्ट्रेनॉट बन रहे हैं। भौतिकी और कैलकुलस का महत्त्व इसलिए है कि इससे आपमें समस्याओं को हल करने की समझ पैदा होती है।'

अंतरिक्ष केंद्र पर शोर होता है?

'थोड़ा बहुत। यहां मोटर, पंखे और मशीनरियां हैं। इनसे आवाज होती है। हमारा प्रयास शोर को कम करने का होता है, क्योंकि हम दिन-रात उन मशीनों के इर्द-गिर्द काम करना होता है।

हमने शोर कम करने के लिए उनके ऊपर आवरण भी डाल दिया है। वैसे हमारे शयन कक्ष साउंड प्रूफ हैं। कुल मिलाकर यहां जो शोर होता है वह ज्यादा कष्टकारी नहीं होता।'

ई-मेल

'मैं भी ई-मेल वैसे ही टाइप करती हूं जैसे आप धरती पर करते हैं। हमारे कंप्यूटर भी एक नेटवर्क से जुड़े हैं। ह्यूस्टन स्थित कंट्रोल को हमारे ई-मेल मिलते हैं। एक उपग्रह की मदद ली जाती है। वहां से ई-मेल परिवार और दोस्तों को भेज दिए जाते हैं। यही प्रक्रिया तब होती है जब लोग हमें कोई मेल भेजते हैं।'

उड़ना भी एक कला

'अंतरिक्ष केंद्र में लोगों को उड़ते देख सब कुछ सामान्य-सा लगता है, लेकिन यहां उड़ना सामान्य उड़ने से थोड़ा अलग है। इसलिए मैं तो इसे कला मानती हूं। इसे सीखने में व्यक्त लगता है। शुरुआत में हम यूं ही उड़ते चले जाते थे, कोई नियंत्रण नहीं होता था। काफी चीजें

बरबाद होती थीं क्योंकि हर चीज उड़ने लगती थी, लेकिन धीर-धीरे अभ्यस्त हो गई। इतनी कि उड़ना चलने जैसा लगा। कोई चीज मेरे आगे से निकल भी नहीं सकती। पकड़ लेती हूं।

यहां उड़ना वैसे ही है जैसे पानी में मछली। यहां उसकी तरह व्यक्ति खाना भी खा सकता है। बस, मुंह खोलने की जरूरत होती है। पैकेट खोलते खाना हवा में मिल जाता है। वैसे ही जैसे किसी ने तालाब में कुछ फेंका हो। मछली उस खाने तक पहुंचती है, मुंह खोलती है और गप। हम भी यहां ऐसा कर सकते हैं।'

कैसे दिखते हैं ग्रह?

'वैसे ही जैसे धरती से। हम धरती से ज्यादा दूर नहीं हैं। चांद या अन्य ग्रहों से पृथ्वी की दूरी की तुलना में 200 मील की ऊंचाई नहीं है। यह नगण्य-सा है। हां, इतना जरूर है कि वायुमंडल के पार हैं। यहां न धूल है न धुआं और न ही वाष्प। सब साफ-साफ दिखता है। चांद भी, तारे भी और ग्रह भी।'

क्या कोई नया ग्रह खोजा?

'दुर्भाग्यवश नहीं। हमारे पास वैसे बहुत उम्दा बायनाकुलर और कैमरे हैं। लेकिन धरती पर मौजूद लोगों से ज्यादा नहीं देख पाए हैं हम। नए ग्रह को देखने का काम तो बड़े-बड़े टेलीस्कोप और ब्रह्मांड में घूम रहे छोटे-छोटे अंतरिक्ष यानों से ही हो जाता है।'

अंतरिक्ष या धरती?

'तीन महीने से यहां हूं। अब तो यहां से प्यार हो गया है। हालांकि हर वक्त निगाहें धरती पर लगी रहती हैं। उसे निहारती रहती हूं। बहुत सुंदर है धरती। इच्छा होती है जल्दी लौट जाऊं। परिवार की

याद आती है। फिलहाल तो यहां रहना मजेदार है लेकिन वैसे धरती पर ही रहना चाहती हूं।'

क्या किसी दूसरे ग्रह पर जाने का मौका मिला?

'अब तक तो नहीं। उम्मीद है हम चांद और मंगल पर जाएंगे।'

क्या वहां गुरुत्वाकर्षण है?

'कहा जाए तो नहीं। जिस तरह धरती पर हम सतह पर रहते हैं, यहां ऐसा कुछ नहीं होता। लेकिन साथ ही एक बात जरूर है यहां ही नहीं, चांद तक। थोड़ा गुरुत्वाकर्षण तो जरूर है। यही वजह है कि चांद तक अपनी कक्षा में बना रहता है। धरती का चक्कर लगाता रहता है। वैसे जैसे-जैसे हम धरती से ऊपर उठते हैं, गुरुत्व बल कमजोर पड़ने लगता है।'

तैरते संतरे और टमाटर

खाना कैसा होता है?

मिडिल स्कूल कोलंबिया एक्सप्लोरर एकेडमी के एक छात्र की रुचि यह जानने में थी कि अंतरिक्ष यात्री खाते क्या हैं? सुनीता और उसके साथ स्टेशन पर मौजूद लोपेज एलेग्रिया ने सब कुछ कैमरे के सामने रख दिया। मांस, सब्जी, नूडल्स और ब्रेड के छोटे-छोटे टुकड़े। उन लोगों ने, यह भी बताया कि ब्रेड जैसी चीज को खाना यहां कितना कठिन होता है। रंध्र (छेद) वाली ऐसी चीजें तुरंत तैरने लगती हैं। छात्र यह भी जानना चाहते थे कि क्या वे वहां कुछ मिस भी कर रहे हैं? सुनीता ने कहा कि वे लोग यहां दूध में कुकी (बिस्कुट) भिगोकर नहीं खा सकते। उन्हें बहां कुकी खाकर दूध पीना पड़ता है।

विज्ञान पर ज्यादा समय कब?

अंतरिक्ष केंद्र से कीथ कोइंग के साथ बातचीत में सुनीता ने कहा कि वह समय दूर नहीं है जब अंतरिक्ष यात्री ज्यादा समय विज्ञान पर देंगे। सहयोगी देशों की प्रयोगशालाएं तैयार हो रही हैं। इनके पूरा होते ही यहीं तीन की जगह छह अंतरिक्ष यात्री रहने लगेंगे। सुनीता ने यह भी कहा कि प्रयोगों के समान ही अंतरिक्ष केंद्र पर तकनीक बदलाव भी उतने ही महत्त्वपूर्ण हैं। वैज्ञानिक कार्यकलापों और अंतरिक्ष केंद्र की मेंटेनेंस के बीच सीधा संबंध है। उसने कहा, 'जितना आप इसे देंगे, उतना ही आप भी ले सकेंगे। अंतरिक्ष केंद्र, वैज्ञानिक रूप से जितना उन्नत होगा, उतना ही ज्यादा वैज्ञानिक प्रयोगों के लिए इसका प्रयोग हो सकेगा। जापान और कनाडा जैसे देशों की योजना अंतरिक्ष केंद्र पर अपनी प्रयोगशालाएं लगाने की है। ये प्रयोगशालाएं 2008 में लग जाएंगी। इसके बाद अंतरिक्ष केंद्र वैज्ञानिकों के लिए हर दृष्टि से उपलब्ध होगा। हम तो अभी सीख रहे हैं और यह सब बड़े अभियान की तैयारी है। नींव डाली जा रही है, अगली पीढ़ी को काफी कुछ करना होगा।'

कैसे मिलती है ऑक्सीजन?

'ऑक्सीजन अंतरिक्ष यान और रूसी प्रोग्रेस यानों से मिलती है। इन यानों में बनी टंकियों के द्वारा अंतरिक्ष केंद्र पर ऑक्सीजन आती है। अंतरिक्ष केंद्र पर भी टंकियां बनी हुई हैं। हम वह ऑक्सीजन इन टंकियों में भर लेते हैं। ऑक्सीजन अंतरिक्ष केंद्र पर भी बनती है। जिस रूसी मशीन के द्वारा ऑक्सीजन बनती है उसे इलेक्ट्रोन कहते हैं। यह इलेक्ट्रोलायसिस के द्वारा पानी को ऑक्सीजन और हाइड्रोजन में तोड़कर ऑक्सीजन बनाती है।'

नेमो क्या है?

'नेमो यानी नासा एक्सट्रीम एंवायरनमेंट मिशन ऑपरेशन। यह नासा के उन कार्यक्रमों में से है जिसके द्वारा अंतरिक्ष केंद्र या अंतरिक्ष यान के वातावरण जैसी स्थितियों में रहने की आदत डाली जाती है। प्रशिक्षण के दौरान 50 फुट गहरे पानी में 10-10 दिन तक रखा जाता है। इस प्रक्रिया को सैचुरेशन डाइविंग कहते हैं। सैचुरेशन से आशय शरीर में नाइट्रोजन की मात्रा के जमा होने से है। लंबे समय समय तक पानी के भीतर रहने से शरीर में जितना नाइट्रोजन समाना होता है, समा चुका होता है। इसके बाद प्रशिक्षुओं को धीरे-धीरे बाहर (सतह पर) निकाला जाता है। इतना धीरे कि 50 फुट की ऊंचाई 17 घंटे में तय होती है। ऐसा इसलिए किया जाता है ताकि शरीर में समाए नाइट्रोजन के कारण रक्त में बुलबुले न पैदा होने पाए। प्रशिक्षु अंतरिक्ष यात्रियों को इससे स्पेस वॉक के लिए तैयार होने में काफी सहायता मिलती है।'

अंतरिक्ष में कैसे काम करती हैं? बह गई तो? डर भी लगता है?

'डर लगता भी है, नहीं भी। हम लोग पूरी सावधानी से काम करते हैं। जब अंतरिक्ष में निकलते हैं तो तीन प्रकार की सुरक्षा हमारे पास होती है। सर्वप्रथम हम एक तार के द्वारा अंतरिक्ष केंद्र के ढांचे

से जुड़े होते हैं। इसके बाद एक कपड़े जैसी चीज का बंधन होता है। दोनों ही स्थितियों में होनेवाली अनहोनी से निबटने के लिए एक और बड़ा और मजबूत बंधन भी होता है। यह बंधन उस स्थिति में सहायक होता है जब हमें दोनों हाथ से काम करने की आवश्यकता होती है। अगर हम अंतरिक्ष में बह भी जाएं तो इस स्थिति से बचाव के लिए हमारे पास एसएएएफईआर (सिंप्लिफाइड एड फॉर ईवीए रेस्क्यू) होता है। यह जेट सिस्टम पर आधारित होता है। इसे चालू कर हम अंतरिक्ष केंद्र तक पहुंच सकते हैं। यद्यपि हम ऐसा करने में प्रशिक्षित होते हैं, लेकिन अधिकतम प्रयास यह होता है कि हमें ऐसी स्थिति का सामना नहीं करना पड़े।'

क्या धूमकेतु और अंतरिक्ष में मौजूद कचरा दिखता है?

'हम आपकी तुलना में ऐसी चीजों के ज्यादा नजदीक नहीं हैं इसलिए हमें यहां से ज्यादा कुछ नहीं दिखता है। हां, यहां से जो दिखता है पृथ्वी की तुलना में स्पष्ट दिखता है।'

आपकी घड़ी कैसे काम करती है?

'हम ग्रीनविच मीन टाइम के अनुसार चलते हैं, लेकिन इसके बावजूद हमारे (अंतरिक्ष केंद्र) और पृथ्वी के समय में थोड़ा अंतर होता है। हमें समय ग्लोबल पोजिशनिंग सिस्टम (जीपीएस) के द्वारा मिलता है इसलिए थोड़ा अंतर आ जाता है। वस्तुतः अंतरिक्ष केंद्र और धरती के समय में 14 सेकेंड का अंतर है। यह अंतर सात वर्षों में बढ़ा है इसलिए इसे ज्यादा नहीं कहा जा सकता।'

अंतरिक्ष में आग कैसी दिखती है?

'यह तो नहीं जानती। लेकिन मुझे पता है कि हमने धरती पर आग पर प्रयोग किए हैं। मेरे अनुसार यह धरती से अलग होगी, फिर भी

निश्चित तौर पर कुछ नहीं कह सकती। इसके लिए किसी विशेषज्ञ की जरूरत है। अब तक हमने अंतरिक्ष केंद्र पर ऐसा प्रयोग नहीं किया है।'

रक्त संचरण, पाचन तंत्र पर गुरुत्वविहीनता का क्या प्रभाव पड़ता है?

'मांसपेशियों और हड्डियों के समान ही शरीर भी एडप्ट होने लगता है। यहां शुरू में समस्या यह आती है कि हम जो भी खाते हैं, वह पेट में उमड़ता-घुमड़ता रहता है। शरीर के ऊपरी हिस्से में तरल पदार्थ बढ़ जाते हैं। यह कारण है कि हर चक्कर में अंतरिक्ष यात्रियों का चेहरा एक न एक पल के लिए सूजा हुआ लगता है।

तरल पदार्थ के ऊपरी हिस्से में जमा होने या भोजन के पेट में उमड़ना-घुमड़ना इसलिए होता है कि यहां इन चीजों को नीचे की ओर धकेलने या खींचने के लिए कोई शक्ति नहीं होती है। इसी कारण वे रक्त चढ़ाने के लिए हृदय को भी ज्यादा जोर नहीं लगाना पड़ता है। जहां तक पाचन तंत्र का सवाल है तो यहां देर से भूख लगती है। खाना पेट में तैरता रहता है। भूख का अहसास होना तब शुरू होता है जब मांसपेशियां परिस्थितियों के अनुसार ढलने लगती हैं। आंत को खाना नीचे धकेलना आ जाता है और शरीर को मल निकालना। आमतौर पर हम यह सब नहीं सोच भी पाते क्योंकि हमें गुरुत्वविहीनता की स्थिति का पता ही नहीं है।'

स्पेस वॉक में थकान होती है क्या?

'स्पेस वॉक तो थकाऊ होते ही हैं। हर बार बहुत ज्यादा थक गई थी। मुझे नहीं लगता कि यह वेटलिफ्टिंग या स्प्रिंटिंग (दौड़) की तरह होता है। यह करीब-करीब मैराथन जैसा है। थोड़े समय में ही थकान होने लगती है। काम के दौरान हम आराम भी करते हैं। किसी-किसी दिन ऐसा होता है जब काम ज्यादा होता है। यहां इधर से उधर जाना तो सरल होता है, लेकिन काम कर पाना कठिन होता है।'

रात दिन का पता कैसे?

'यहां रात दिन जैसा कुछ नहीं होता। दिन और रात की स्थितियां घंटे भर में पैदा होती रहती हैं। चौबीस घंटे में हम सोलह सूर्योदय देखते हैं। एक कक्षा में चक्कर के दौरान 45 मिनट दिन होता है तो 45 मिनट रात। हमारे यान में खिड़कियां हैं, हम इससे देखकर बाहर का पता लगाते हैं। हमारा काम घड़ी के हिसाब से चलता है न कि दिन या रात के हिसाब से। ग्रीनवीच मीन टाइम के अनुसार दो बजे उठ जाते हैं और 17.35 बजे सो जाते हैं।'

अंतरिक्ष केंद्र का नियंत्रण कैसे?

'अंतरिक्ष के अंदर करीब 17 हजार 500 मील प्रति घंटे की रफ्तार से पृथ्वी का चक्कर लगा रहा है। यहां वायुमंडल न होने के कारण सामान्यतः कोई अवरोध पैदा नहीं होता है। गुरुत्वाकर्षण भी न के बराबर है, लेकिन फिर भी कभी-कभी यान अपनी कक्षा से थोड़ा भटक जाता है इसलिए इसे बूस्ट करने की आवश्यकता पड़ती है। आखिरकार हम धरती के गुरुत्वाकर्षण में ही हैं।'

सुनीता और कल्पना

सुनीता की चर्चा भारतीय मूल की पहली महिला अंतरिक्ष यात्री कल्पना चावला के बिना अधूरी रहेगी। कल्पना ही सुनीता की प्रेरणा थी। 7 मार्च, 1962 को जन्मी कल्पना कुछ मायने में सुनीता से अधिक भारतीय थी। उसका जन्म, शिक्षा, सब कुछ भारत में हुई थी। उस पर भारतीयता की छाप भी गहरी थी। करनाल में जन्मी इस महिला के नाम में ही इमेजिनेशन छुपी थी। संस्कृत में कल्पना यानी अंग्रेजी में इमेजिनेशन। कल्पना की कल्पनाओं को पंख मिला था जेआरडी टाटा से। टाटा बिजनेसमैन होने के साथ-साथ बहुत साहसी पायलट थे। टाटा के कारनामों की कल्पना पर गहरी छाप पड़ी।

चंडीगढ़ के पंजाब इंजीनियरिंग कॉलेज से पढ़ी कल्पना ने 1982 में बैचलर की डिग्री हासिल की। वह उन दिनों अपनी कक्षा की तीन

लड़कियों में से एक थी। इसके बाद वह अमेरिका चली गई। वहां टेक्सास यूनिवर्सिटी से उसने 1984 में एयरोस्पेस इंजीनियरिंग में मास्टर्स की डिग्री ली। लेकिन ज्ञान की भूख मिटी नहीं। पढ़ाई का सिलसिला जारी रहा। उसने दोबारा मास्टर्स डिग्री ली। इस बार विषय रहा मैकेनिकल इंजीनियरिंग। इसके बाद उसने एमरोस्पेस इंजीनियरिंग में पी-एच.डी. की डिग्री हासिल की।

नासा में कल्पना

एयरोस्पेस इंजीनियरिंग में रिसर्च और उसके बाद विमान प्रशिक्षक के रूप में ट्रेंड कल्पना का सपना भी एस्ट्रोनॉट बनने का था। 1995 में उसका नासा में सलेक्शन हुआ। उसे हालांकि सुनीता की तरह पहली उड़ान के लिए ज्यादा इंतजार नहीं करना पड़ा। 1996 में ही वह उड़ान के लिए चुन ली गई। 19 नवंबर, 1997 को उसकी पहली अंतरिक्ष यात्रा हुई।

यह सिर्फ उसकी ही पहली उड़ान नहीं थी, बल्कि किसी भी भारतीय या भारतीय मूल की महिला की यह पहली उड़ान थी। राकेश शर्मा के बाद किसी भारतीय की दूसरी, लेकिन यहां राष्ट्रीयता का फर्क रहा। कल्पना ने जहां अमेरिका का प्रतिनिधित्व किया वहीं राकेश शर्मा भारत के प्रतीक थे।

पहली यात्रा में कल्पना ने 6.5 मिलियन मील की दूरी तय की। धरती की 252 कक्षाओं में। वह करीब सोलह दिन अंतरिक्ष में रही। उसे एसटीएस 87 के सदस्य के रूप में भेजा गया था। उसे उस समय ठीक प्रकार काम नहीं कर रहे स्पार्टन उपग्रह को सुधारने का जिम्मा सौंपा गया था। जरूरत पड़ने पर स्पेस वॉक भी उसमें शामिल था। चावला ने स्पेस वॉक तो नहीं किया, लेकिन स्पार्टन को पकड़ने के लिए विंस्टन स्कॉट और तकाओ दोई ने स्पेस वॉक जरूर किए। उस उपग्रह के सॉफ्टवेयर में दिक्कतें थीं। जमीन से उसका ठीक प्रकार नियंत्रण नहीं हो पा रहा था।

इस मिशन को पूरा करने के बाद चावला को नासा के तकनीकी विभाग में काम सौंप गया। उसके काम ऐसे थे कि पूछिए मत। उसे विशेष सम्मान मिला। 2000 में ही उसे दूसरी उड़ान के लिए चुना गया। एसटीए-107 के साथ। लेकिन यह मिशन विभिन्न कारणों से विलंबित होता रहा। कभी डेट की परेशानी तो कभी तकनीकी दिक्कत।

कुल मिलाकर बरसों की देरी। जनवरी 2003 को वह अंतरिक्ष कोलंबिया के द्वारा दोबारा अंतरिक्ष में गई। लेकिन किस्मत को उसका लौटना मंजूर न था। एक फरवरी, 2003 को धरती से कुछ सौ मीटर की ऊंचाई पर उसका विमान जल गया उस हादसे में छह अन्य साथियों के साथ उसकी भी मौत हो गई।

चावला पूरी तरह शाकाहारी थी और उसने जमीन या आसमान, हर जगह इसे बरकरार रखा। उसके दिल में शिक्षकों के लिए गजब-सा सम्मान था। यही वजह रही वह अंतरिक्ष में उनकी याद में स्लिक बैनर ले गई थी। शास्त्रीय संगीत उसकी कमजोरी थी। आबिदा परवेज और पंडित रविशंकर के संगीत की सीडी भी वह अपने साथ ले गई थी। वह दार्शनिक लुसियस एनेइयस सेनेका से बहुत प्रभावित थी। वह सेनेका के कथन 'मेरा जन्म किसी एक कोने के लिए नहीं हुआ, दुनिया मेरा घर है' की अवधारणा को मानती थी।

कल्पना को मृत्यु के बाद नासा ने ही नहीं, कई अन्य संस्थाओं ने भी सम्मानित किया। उसे नासा स्पेस फ्लाइट मेडल, नासा स्पेशल सर्विस मेडल, कांग्रेसियल स्पेस मेडल फॉर ऑनर और डिफेंस डिस्टिंग्यूस्ड सर्विस मेडल आदि से नवाजा गया।

कल्पना के सम्मान में अमेरिका के साथ-साथ भारत ने भी कोई कसर नहीं छोड़ी। 5 फरवरी, 2003 को ही यह घोषित कर दिया गया कि देश के मौसम आधारित उपग्रह मेटसैट का नाम कल्पना होगा। पूरी सीरीज कल्पना के नाम से जानी जाएगी। कर्नाटक सरकार ने 2004 से युवा महिला वैज्ञानिकों के लिए कल्पना चावला पुरस्कार की घोषणा

की। अमर चित्र कथा के द्वारा उसके जीवन को दर्शाया गया। पंजाब इंजीनियरिंग कॉलेज ने महिला छात्रावास का नाम कल्पना के नाम पर रख दिया। साथ ही यूनिवर्सिटी में एयरोडायनेमिक्स डिपार्टमेंट के सबसे मेधावी छात्र के लिए पच्चीस हजार रुपये नगद, एक पदक और प्रशस्ति पत्र आधारित पुरस्कार की घोषणा की गई।

अमेरिका में भी भारतीय मूल की इस महान महिला के लिए कई घोषणाएं की गईं। न्यूयार्क शहर के लिटिल इंडियन इलाके की 74वीं गली को कल्पना के नाम कर दिया गया। टेक्सास यूनिवर्सिटी ने एक हॉस्टल का नाम कल्पना के नाम पर रख दिया। नासा ने एक सुपर कंप्यूटर भी कल्पना के नाम किया। फ्लोरिडा इंस्टीट्यूट ऑफ टेक्नोलॉजी ने अपनी पूर्व छात्रा का पूरा सम्मान किया और छात्रावास के परिसर को कोलंबिया हादसे में शिकार अंतरिक्ष यात्रियों के नाम कर दिया। लेकिन सबसे अच्छा उपहार दिया कल्पना के भाई ने। संजय चावला ने कहा, 'मेरे लिए मेरी बहन मरी नहीं, वह तो अमर है। आसमान में हरदम चमकती रहेगी। हमेशा वहीं रहेगी जहां उसकी चाहत थी। वहीं बनी रहेगी जहां के लिए वह थी।'

नासा ने तो मंगल पर मार्स रोवर द्वारा खोजे सात चोटियों का नाम भी कोलंबिया हादसे में मारे गए अंतरिक्ष यात्रियों के नाम पर रखा है। एक चोटी को चावला हिल्स का नाम दिया गया है। चावला ने जो प्रयोग किए थे, वे सब अंतरिक्ष में जीवन पर आधारित थे। लेकिन यह मिशन अधूरा रह गया। सुनीता विलियम्स ने उसी मिशन को आगे बढ़ाया। कल्पना ने अस्सी से ज्यादा प्रयोग किए थे। इन सारे प्रयोगों का संबंध अंतरिक्ष यात्रियों के स्वास्थ्य की सुरक्षा से था।

कैसे-कैसे बने सुनीता के कीर्तिमान

सुनीता ने अंतरिक्ष में एक के बाद एक कीर्तिमान अपने नाम किया। अंतरिक्ष में सबसे ज्यादा समय तक वहां रहने वाली महिला बनने का की कीर्तिमान तो उसने सबसे बाद में बनाया। इससे पहले वह दो और बड़े कीर्तिमान बना चुकी थी।

अंतरिक्ष में चहलकदमी (स्पेस वॉक) अपने आपमें बड़ा काम था। उसने अंतरिक्ष केंद्र से जुड़े कार्यों के लिए चार बार अंतरिक्ष में अपने कदम रखे। चारों प्रयासों को मिलाकर कुल 29 घंटे 17 मिनट का समय अंतरिक्ष में बिताया। इसके साथ ही वह दुनिया में सबसे ज्यादा समय तक स्पेस वॉक करने वाली महिला बन गई।

उसने ऐसा कर कैथरियान थोरंटन का कीर्तिमान तोड़ा, लेकिन सुनीता का मानना है कि उसका कीर्तिमान भी जल्द ही टूट जाएगा।

कीर्तिमान बनाने के बाद उसने कहा कि खोजकर्ताओं की ऐसी पीढ़ी अभी बाकी है जिन्हें लंबे अभियानों पर जाना है। वे उसका कीर्तिमान तोड़ देंगे।

इसके बाद उसने ऐसा कीर्तिमान बनाया कि जो किसी भी अंतरिक्ष यात्री द्वारा पहली बार बनाया गया। उसने अंतरिक्ष से मैराथन में भाग लेने का अनोखा कारनामा किया। 4 घंटे 24 मिनट में बॉस्टन मैराथन पूरा किया। यह इतिहास में पहली घटना थी जब किसी अंतरिक्ष यात्री ने अंतरराष्ट्रीय अंतरिक्ष केंद्र से धरती पर हो रही दौड़ में प्रतिभागी बनने ही नहीं, इसी ठीक प्रकार से पूरा करने का गौरव भी प्राप्त किया।

वह इस मैराथन में उसी प्रकार दौड़ी जैसे एक प्रतिभागी को दौड़ना चाहिए था। करीब-करीब उसने उसी समय पर दौड़ना शुरू किया जब बॉस्टन में मैराथन आरंभ हुआ। अंतरिक्ष से मैराथन दौड़ने के सवाल पर उसका कहना था कि वह बच्चों को फिजिकल फिटनेस के प्रति जागरूक करना चाहती है। वह चाहती है कि बच्चे फिटनेस को दैनिक जीवन का हिस्सा बनाएं।

सुनीता के नाम तीसरा कीर्तिमान रहा अंतरिक्ष में सबसे ज्यादा समय बिताने का। वह कुल 195 दिन अंतरिक्ष में रही। हालांकि उसने सबसे ज्यादा समय बिताने का कीर्तिमान तो 189 दिन में ही बना दिया था, लेकिन तब पिछले कीर्तिमान और सुनीता के कीर्तिमान में अंतर कुछ घंटों का था। पिछला कीर्तिमान भी अमेरिकी अंतरिक्ष यात्री के नाम ही था। शौनोन ल्यूसिड वर्ष 1996 में 188 दिन 4 घंटे अंतरिक्ष में रही थी।

शैनोन ल्यूसिड ने यह कीर्तिमान रूस के मीर अंतरिक्ष केंद्र में रहकर बनाया था और सुनीता ने मीर से ज्यादा उन्नत अंतरराष्ट्रीय अंतरिक्ष केंद्र में। 1996 में ल्यूसिड द्वारा बनाए गए कीर्तिमान को सुनीता ने 195 दिन तक बढ़ाकर नई ऊंचाइयां दीं। सुनीता ने 10 दिसंबर, 2006 को अपनी यात्रा शुरू की थी और 22 जून, 2007 को वह धरती पर लौटी।

सुनीता अब क्या करेगी

सुनीता के कदम अभी रुकने वाले नहीं हैं। आगे चलकर और भी उड़ानें उसके नाम होने के आसार हैं। नासा के ह्यूस्टन स्थित जॉनसन स्पेस सेंटर के प्रवक्ता निकोल क्लोटियर ने इसकी पूरी संभावना व्यक्त की है। आगे की अंतरिक्ष यात्राओं में जाने का कार्यक्रम यद्यपि अभी तय नहीं हुआ है। क्लोटियर ने इस संबंध में कुछ स्पष्ट नहीं किया।

बहरहाल नासा ने सुनीता के अनुभवों का इस्तेमाल करने की योजना बना ली है। क्लोटियर ने कहा कि सुनीता विलियम्स अभी कुछ समय लोगों के बीच बिताएगी। लोगों से अंतरिक्ष में बिताए पलों के अनुभव बांटेगी। उसके बाद नासा द्वारा उसे कोई और टेक्निकल एसाइनमेंट दिया जाएगा। वह टेक्निकल एसाइनमेंट फिर से अंतरिक्ष यात्रा का हो सकता है।

लोगों से मिलने-जुलने का कार्यक्रम भी नासा ने बनाया। इस कार्यक्रम को ग्लोबल रूप देने का पूरा प्रयास किया गया। देश-विदेश के हर समुदाय, हर वर्ग के साथ उसके कार्यक्रम तय किए गए। भारतीयों को इसमें खासी प्राथमिकता दी गई। 18 और 19 अगस्त, 2007 को क्रमशः शिकागो और न्यूयार्क में हुए इंडिया डे परेड में सुनीता का शामिल होना इसी का प्रमाण रहा।

18 अगस्त को शिकागो में फेडरेशन ऑफ इंडियन एसोसिएशन द्वारा आयोजित परेड में उसने परेड का नेतृत्व किया। 19 अगस्त को न्यूयार्क में हुई इंडिया डे परेड में सुनीता अतिथि के रूप में शामिल हुईं और उसने तिरंगा थामा। परेड की खासियत यह रही कि इसमें अंतरिक्ष परी के साथ-साथ बॉलीवुड की अदाकारा प्रियंका चोपड़ा भी शामिल हुईं। चोपड़ा ने ग्रैंड मार्शल की भूमिका निभाई। यहां इस अवसर पर भारतीय संस्कृति की अनुपम छटा बिखेरी गई।

क्लोटियर के मुताबिक सुनीता पहले स्पेस मिशन पर खरी उतरी हैं। उन्होंने कहा, 'सुनीता ने पहले मिशन पर बहुत बढ़िया काम किया। मिशन कंट्रोल के साथ भी उनका तालमेल गजब का रहा। उन्होंने अन्य कामों के अलावा स्पेस वॉक आदि तकनीकी कामों को बखूबी अंजाम दिया।'

सुनीता आज न सिर्फ दुनिया भर के लिए सुपर स्टार हैं, बल्कि नासा भी उसकी खूबियों का कायल हो गया है। उसके साथ काम करने में सभी को अच्छा लगता है। अंतरिक्ष में हमेशा मुस्कराती, हँसती दिखी सुनीता के बारे में क्लोटियर ने व्यक्तिगत तौर पर बताया कि वह बेजोड़ है। वह सकारात्मक सोचती है और हमेशा खुश रहती है। उत्साही होने के साथ ही सबके साथ मिल-जुलकर रहती है। काम तो बढ़िया करती ही है। लोगों से मिलने के कार्यक्रम के तहत ही सुनीता का भारत का कार्यक्रम बना।

सुनीता ने पहली उड़ान में अंतरिक्ष में मानव के लंबे से लंबे समय तक बने रहने, तरल पदार्थों के बहाव (कैपेलरी इफेक्ट) आदि पर कई महत्त्वपूर्ण प्रयोग किए। नासा के मुताबिक, उन प्रयोगों के रिजल्ट अंतरिक्ष में मानव के बढ़ते कदमों को नई दिशा देने वाले होंगे। प्रयोगों के परिणाम आने में हालांकि साल से डेढ़ साल तक का समय लगेगा। प्रयोगों के परिणाम चांद और मंगल यात्राओं के लिए भी अहम होंगे। इन प्रयोगों के रिजल्ट से अंतरिक्ष में भोजन और उसके पाचन के साथ-साथ स्पेस शटलों के फ्यूल टैंक के डिजाइन आदि में भी बदलाव किए जा सकेंगे।

हेलो मैं इंडिया में हूं!

पिता के देश में

20 सितंबर 2007 का दिन भारतीय ही नहीं, सुनीता भी जीवन भर याद रखेगी। अंतरिक्ष के इतिहास में नए अध्याय लिखने वाली सुनीता घर आई थी–अपने पिता के घर। उसके इंतजार में पलक पांवड़े बिछाए लोगों ने ऐसे स्वागत किया जैसे सचमुच आसमान से कोई परी उतरी हो। जनसैलाब उसे देखने उमड़ पड़ा। कैमरे क्लिक होते रहे, वह जहां भी गई जनसैलाब ने उसका पीछा नहीं छोड़ा।

बापू को अपना आदर्श बताने वाली सुनीता 20 से 26 सितंबर तक गुजरात में रुकी। इस दौरान उसने कई कार्यक्रमों में हिस्सा लिया।

गुजरात सरकार की इस राजकीय अतिथि ने सबसे पहले साबरमती आश्रम जाकर बापू को श्रद्धांजलि अर्पित की। इसके बाद वह अपने भाई और गुजरात के पूर्व गृह राज्यमंत्री हरेन पांड्या की प्रतिमा पर भी फूलमाला चढ़ाने गई।

गुजरात सरकार ने सुनीता को सरदार वल्लभभाई पटेल विश्व प्रतिभा पुरस्कार से सम्मानित किया। छह दिवसीय प्रवास के दौरान उसके सम्मान में गुजरात विश्वविद्यालय में भी एक भव्य कार्यक्रम आयोजित किया गया। यहां सुनीता को सम्मानित करने के साथ ही उसे हर वर्ष सरकारी अतिथि के तौर पर गुजरात आने का निमंत्रण दिया गया। मुख्यमंत्री नरेंद्र मोदी ने कहा कि वह आकर युवाओं को प्रेरणा देती रहे। मोदी ने उन पलों का भावनात्मक जिक्र किया, जब पहली बार वह सुनीता से मिले थे। उन्होंने बताया, '1975 या 76 का वर्ष था। देश में आपातकाल लागू था और इस वजह से मैं भूमिगत था। उसी दौरान हरेन पांड्या ने दो छोटी लड़कियों से मिलवाया था। एक डिना थी और दूसरी सुनीता।'

डॉलर माता के गांव में

झुलासन, शायद सुनीता हिंदी में इसे ठीक से पढ़ भी न सके, लेकिन यही है उसके पिता का पैतृक गांव। जहां वे पैदा हुए, जहां से अमेरिका तक बढ़े और फिर रिसर्चर के रूप में छा गए।

21 सितंबर को जब वह अहमदाबाद से चालीस किलोमीटर दूर इस गांव में गई तो गांव वालों ने उसका पूरे मन से स्वागत किया। परंपरा और आधुनिकता की इस मिली-जुली पेशकश ने पूरे कार्यक्रम को अविस्मरणीय बना दिया। बच्चा-बच्चा जोश में था। कोई कहता वह सुनीता से भी आगे निकलेगा तो कोई कहता वह भी ऐसा महान काम करेगा कि लोग उसे जान सकें।

मेहसाणा जिले के इस गांव के लोगों को वह भले न जानती थी, लेकिन गांव के लोग उसे भलीभांति जानते थे। डोला माता से डॉलर माता के भक्त बने इस गांव की अपनी खूसूसियत है। यहां करीब सात

हजार की आबादी में से डेढ़ हजार लोग तो अमेरिका में ही रहते हैं। डोला माता, इसी कारण डॉलर माता बन गई हैं।

कहा जाता है कि माता अपने दर पर आने वाले किसी को भी निराश नहीं करती हैं। जो, जो मांगता है, उसे मिलता है। सुनीता जब धरती पर लौटने वाली थी तो गांव के लोगों ने अनवरत राम धुन का पाठ किया। मंदिर के दीए तक बुझने न दिए गए, जब तक कि उनकी सुनीता सुरक्षित धरती पर उतर नहीं गई।

21 सितंबर को सुनीता भी उस मंदिर में गई, कहते हैं, जहां से कभी कोई भक्त निराश होकर नहीं लौटता। यहां तक कि अमेरिका जाने की प्रार्थना लेकर जाने वाला भी। भक्त भी पक्के होते हैं। अमेरिका जाने के बाद वे उपहार के रूप में प्रसाद भेजते हैं जिसे सिर्फ मंदिर ही नहीं, पूरे गांव में बांटा जाता है। सीपी गुज्जर स्कूल के प्रिंसिपल के मुताबिक अधिकतर लोग जो अमेरिका जाना चाहते हैं, डोला माता का आशीर्वाद अवश्य लेते हैं। उनकी आकांक्षा होती है कि वे बिना किसी कठिनाई के अमेरिका पहुंच जाएं।

गांववालों ने सुनीता का स्वागत पूरे पारंपरिक तरीके से किया। उसे लिए लोक नृत्य भी प्रस्तुत किए गए। सुनीता ने लोगों के बीच यहां फिर दोहराया, 'आप सभी और आपके बच्चे स्वयं को अवसरों से महरूम न समझें। दुनिया के सारे अवसर आपके लिए हैं।' वह बच्चों से भी मुखातिब हुई। बच्चों का उत्साह और उनकी उत्सुकता देखते ही बनी। सबकी जुबान पर एक ही बात थी, 'वह हमारी प्रेरणा है, भारतीयों की प्रेरणा है। उसने हमें गौरवान्वित किया है।'

बच्चों के साथ

गुजरात में भी सुनीता का बचपन मोह नहीं छूटा। उसका शनिवार यानी 22 सितंबर का दिन कल के सितारों के नाम रहा। वह

जहां भी गई, सम्मानित हुई

अहमदाबाद में स्कूली बच्चों से मिली। राजस्थान हिन्दी हाईस्कूल ने विशेष कार्यक्रम का आयोजन किया। इसमें अहमदाबाद और बड़ोदरा के छात्रों ने हिस्सा लिया।

सुनीता ने छात्रों के साथ बिताए हर पल का आनंद लिया और उसने सभी के सवालों का प्रेमपूर्वक उत्तर दिया। उसने छात्रों को अपने यादगार पल बताए। साथ ही यह भी बताया कि अंतरिक्ष यात्रियों के जीवन में खतरे क्यों होते हैं? सुनीता ने कहा, 'सबसे महत्त्वपूर्ण यह समझना होता है कि आप कितना लिफ्ट कर सकते हैं और कितनी दूरी तक जा सकते हैं? यह दिलचस्प सवाल होता है। अगर आप अंतरिक्ष यान के टेक्निकल क्रू में हैं तो 75 प्रतिशत प्रशिक्षण उड़ने और आपात स्थितियों से निबटने की जानकारी से ही संबंधित होता है।'

सरदार बल्लभभाई पटेल विश्व प्रतिभा पुरस्कार से सम्मानित इस एस्ट्रोनॉट ने बच्चों से स्वयं कहा कि वे आगे आएं और उसका कीर्तिमान तोड़े। 23 सितंबर को सुनीता गुजरात विश्वविद्यालय गई जहां उसे स्मृति चिह्न प्रदान किया गया।

पॉलिटिक्स? मैं नहीं जानती

हरेन पांड्या की बहन होने के नाते उसकी यात्रा के राजनीतिकरण का खतरा गुजरात प्रवास के दौरान मंडराता रहा। लेकिन बच्चों, तारों और आसमान की अनंत गहराइयों को नापने वाली व्योमबाला ने साफ कहा कि वह न तो राजनीति जानती है और न ही भारतीय राजनीति को समझती है। लेकिन यह भी कहा कि अंतरिक्ष से उसने उस राम सेतु के चित्र लिए हैं, जो आजकल विवाद का विषय बना हुआ है। हालांकि इन एक-दो अवसरों को

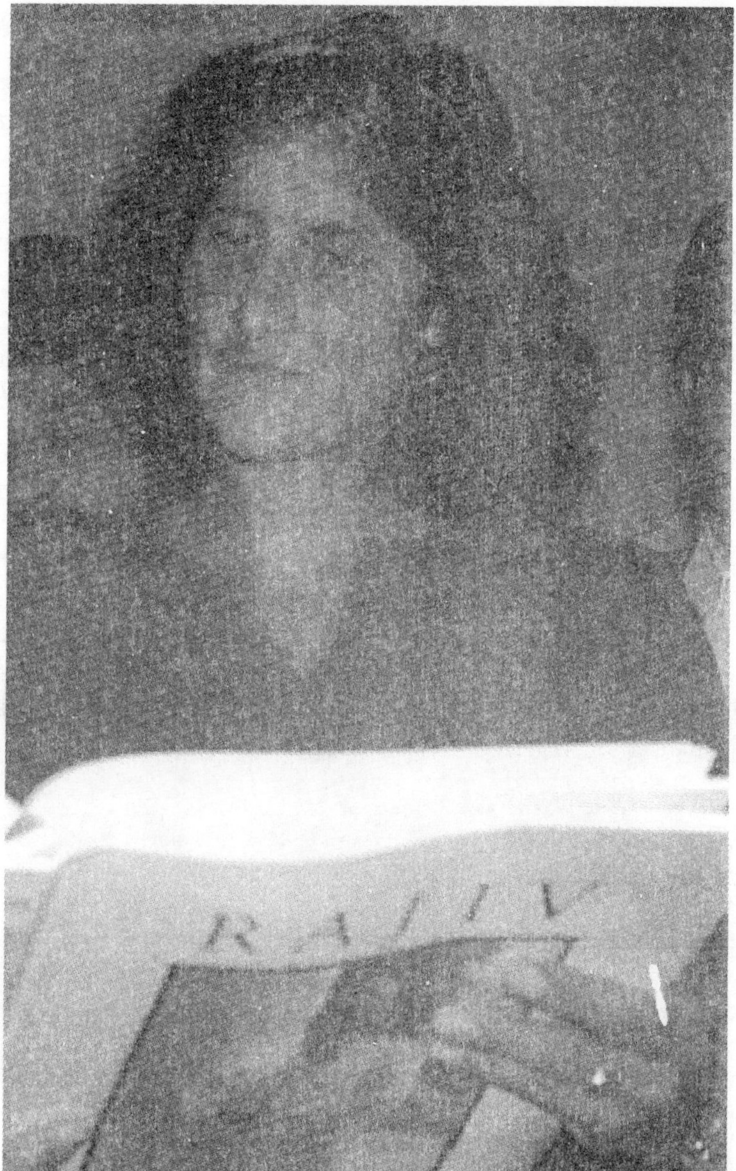

राजीव गांधी के बारे में पढ़ती सुनीता

छोड़ वह जब भी किसी से मिली, (विशेषकर युवाओं से) तो सिर्फ और सिर्फ प्रेरणास्रोत बनकर। उसने सबसे यही कहा कि आगे बढ़ो और कर लो दुनिया मुट्ठी में।

जब तक सुनीता गुजरात में रही, उसे देखने की ललक लिए लोग उमड़ते रहे। पूरे सप्ताह यह दृश्य चलता रहा। इस सुनीता के लिए लोगों की दीवानगी देख सरकारी अधिकारी भी गच्चा खा गए। अधिकारियों को लगा था कि सुनीता का जादू एक-दो दिन में फीका पड़ जाएगा, लेकिन ऐसा नहीं हुआ। उसके प्रवास के दौरान जिस अंदाज से जनसमुदाय उमड़ा वह उसकी लोकप्रियता की कहानी कहने को पर्याप्त था। वह गुजरात में अगर कुछ और समय तक रुकती तब भी, ऐसा ही होता। लोगों ने उसे गुजरात की बेटी के रूप में लिया और उसके साहसिक कारनामों को सबसे ऊपर रखा।

भारत यात्रा के दौरान हर किसी से मिली सुनीता

चली हैदराबाद

27 सितंबर की सुबह सुनीता चेन्नई के रास्ते हैदराबाद के लिए रवाना हुई। यहां वह 58वीं अंतरराष्ट्रीय अंतरिक्ष कांग्रेस में हिस्सा लेने पहुंची थी। जिस होटल में वह ठहरी, वहां से बाहर निकलते ही उसका वही रवैया रहा जो अंतरिक्ष या दुनिया के विभिन्न स्थलों पर रहता है। बच्चे, बच्चे और सिर्फ बच्चे। होटल से निकलते ही वह उनसे हाथ मिलाने लगी।

उसके सम्मान में उसी शाम अमेरिकी अधिकारियों ने रात्रि भोज का आयोजन किया। शुक्रवार (28 सितंबर) का दिन सुनीता के लिए बड़ा दिन था। वह अधिकारिक तौर पर अंतरिक्ष में बिताए महीनों का अनुभव भारत और अन्य देशों से आए अंतरिक्ष विज्ञानियों के समक्ष रखने जा रही थी। उसके व्याख्यान का विषय रहा—'लिविंग एंड वर्किंग एब्रोड द इंटरनेशनल स्पेस स्टेशन और आईएसएस : ए हिस्टोरिक टेक्निकल एचिवमेंट एंड इंटरनेशनल को-ऑपरेटिव सक्सेस।' कांग्रेस में अमेरिका, रूस, चीन, जापान, कनाडा भारत और यूरोप के तमाम अंतरिक्ष विज्ञानी उपस्थित थे।

28 सितंबर को वह जैसे ही साइबराबाद (हैदराबाद) में चल रहे अंतरिक्ष कांग्रेस में पहुंची, हॉल तालियों से गड़गड़ा उठा। उससे वहां सबसे पहले मिले भारत के पहले अंतरिक्ष यात्री राकेश शर्मा। दोनों में काफी देर तक बातें हुईं। सुनीता ने राकेश को अपने अनुभव बताए।

सुनीता को पैंतालीस देशों के दो हजार से ज्यादा प्रतिनिधि और स्कूल-कॉलेजों के सैकड़ों छात्र सुनने को आतुर थे कि कैसे उसने अंतरिक्ष केंद्र पर छह महीने बिताए। उसके सम्मान में इसी दिन

दोपहर में भारतीय अंतरिक्ष अनुसंधान संगठन (इसरो) के चेयरमैन जी माधवन नायर ने भोज दिया। भोज में ग्लोबल स्पेस एजेंसियों के प्रतिनिधि भी थे।

अंतरिक्ष यात्रियों के समक्ष व्याख्या के बाद यहां भी सुनीता का युवाओं के लिए अलग कार्यक्रम रहा। उसने विशेष कार्यक्रम के तहत हिस्सा ले रहे लगभग युवाओं को अंतरिक्ष में रहने और कार्य करने की विधियों की विस्तृत जानकारी दी।

उसने कहा कि चांद और उससे आगे के भारतीय अंतरिक्ष अभियानों से जुड़ने को तैयार है। उसने कहा, 'मैं अंतरराष्ट्रीय सहयोग से होनेवाले भारत के चांद और दूसरे अभियानों में अवश्य हिस्सा लेना चाहूंगी।' उसने इसरो से भी जुड़ने की इच्छा जताई। बकौल सुनीता, 'यद्यपि वर्तमान समय में, मैं अमेरिकी नौ सेना की अधिकारी और अमेरिकी अंतरिक्ष एजेंसी के साथ एस्ट्रोनॉट के रूप में जुड़ी हूं, लेकिन भारतीय मिशन के साथ अपने वैज्ञानिक और खोजी अनुभवों को बांटना सम्मान समझूंगी।'

उसका मन अथाह गहराइयों और रहस्यों के समुद्र में जाने से थका नहीं है, लेकिन वह चाहेगी कि उसकी तरह अन्य लोगों को भी मौका मिले। उसने कहा, 'मैं एक बार अंतरिक्ष में जा चुकी हूं, चाहूंगी कि औरों को भी मौका मिले। जब भारत यान को अंतरिक्ष में भेजेगा, मैं दूसरों के अवसरों को चांद पर जाने वाले प्रथम भारतीय के रूप में अपना नाम नहीं लिखवाना चाहती। अगर ज्यादा लोग अंतरिक्ष में जाएंगे तो इस गोलार्ध में काम कर सकेंगे और समझ सकेंगे कि हमारा ग्रह अंतरिक्ष से कैसा लगता है। वे अंधकार के थ्री डी (थ्री डायमेंशनल) प्रभाव को समझ सकेंगे। हमारे पास दुनिया के हर हिस्से

दो महान शख्सियत : राष्ट्रपति प्रतिभा पाटिल और सुनीता

में अनुभवी लोग होंगे जो लोगों को समझा सकेंगे कि वस्तुतः हम सीमाहीन दुनिया में रहते हैं और हम सब मिल-जुलकर शांतिपूर्वक रह सकते हैं। सुनीता ने यह भी बताया कि अंतरिक्ष यात्रा का उसके स्वरूप पर क्या प्रभाव पड़ा है? लेकिन उसने इसके बावजूद कहा कि ऐसी यात्राएं आवश्यक है।

भारतीय लिबास में सुनीता

उसने भविष्य में अंतरिक्ष में मानवीय बस्तियों की संभावना से भी इंकार नहीं किया। सुनीता ने इसे जनसंख्या विस्फोट से जोड़ा।

'मेरे पास कोई जादुई गेंद तो नहीं है जिसकी सहायता से यह बता सकूं कि ऐसा कब तक हो सकेगा? हालांकि प्रोफेसर स्टीफन हॉकिंस ने अपनी पुस्तक (द ब्रीफ हिस्ट्री ऑफ टाइम) में इसका उल्लेख किया है। मैं समझती हूं कि हमें अपने गिरेबान में झांककर देखना चाहिए कि हम क्या कर रहे हैं? क्या धरती इन चीजों को सह पाएगी? क्या वर्तमान जनसंख्या वृद्धि दर सही है? अंतरिक्ष अभियानों की इसलिए भी आवश्यकता है कि जीवन को बचाए रखने के लिए नई जमीन खोजी जा सके।'

अंतरिक्ष केंद्र में कदम रखने के बाद पहले अनुभव के बारे में कहा कि धरती को वहां से देखकर उसकी आंखों में आंसू आ गए थे। सब कुछ अविश्वसनीय था।

छात्रों ने यहां भी यह प्रश्न दोहराया कि क्या उसे कभी डर भी लगा? उसका जवाब भी वही रहा, जो अन्य स्थानों पर दे चुकी थी, कि उसे अपने साथ कार्य कर रहे लोगों पर विश्वास था। उसने यहां नई बात का खुलासा किया कि उसे पहली बार अंतरिक्ष में कदम रखने से पहले गिरने का भय अवश्य लगा था। लेकिन तब उसने स्वयं विचारकर समस्या को सुलझाया था कि भला अंतरिक्ष में भी कोई गिरता है?

अंतरिक्ष से भारत के संबंध में भी उसने एक नई बात कही कि उसे इस देश को देखकर गर्व होता था कि उसके पिता यहां के हैं। भारत उसे हमेशा ऊपर से रंग-बिरंगा और विस्मयकारी दिखा।

आध्यात्मिक पहलुओं पर भी हैदराबाद में वह बेबाकी से बोली। मेरे पिता हिंदू हैं। उन्होंने मुझे गीता की एक प्रति दी थी। मैं उसका रोज पाठ करती थी। अर्जुन की दुविधा समझने का प्रयास करती थी।

गणेशजी की भी मूर्ति थी। उनके मोटे स्वरूप को देख मैं रोज सुबह मुस्कराती थी

दिल्ली में

29 सितंबर यानी शनिवार की सुबह वह दिल्ली पहुंच गई। इस 42 वर्षीय अंतरिक्ष बाला का प्लेन तो करीब ग्यारह बजे दिल्ली पहुंचा, लेकिन उसका सम्मान करने के लिए लोग सुबह से ही जुट गए थे। कोई माला लेकर तो कोई गुलदस्ता। लोगों और अमेरिकी अधिकारियों की तैयारियों को देखकर हवाई अड्डे पर ऐसे लोग भी रुक गए जिन्हें पहले से सुनीता के आने का पता न था।

राष्ट्रपति प्रतिभा पाटिल के साथ बातचीत

दिल्ली में सोनिया गांधी, प्रधानमंत्री और चार अक्तूबर को राष्ट्रपति प्रतिभा पाटिल से भी मिली। दिल्ली में वह तमाम जगहों पर

सोनिया गांधी और सुनीता

सलवार-कमीज में गई। मनमोहन सिंह ने उसे महिलाओं के लिए प्रेरणा का स्रोत बताया। उन्होंने कहा कि यद्यपि वह अमेरिकी नागरिक है, लेकिन मानवीय हितों में ब्रह्मांड को लेकर उसकी उपलब्धियों से भारत गौरवान्वित है।

छात्राओं के साथ यहां भी उसकी बातचीत हुई। दो अक्तूबर के पावन मौके पर उसने जो उद्‌गार व्यक्त किए, उनसे भारतीयों का सिर गर्व से ऊंचा हो गया।

बापू मेरे रोल मॉडल

भारतीय मूल की सुनीता ने बापू की 138वीं जयंती पर स्कूली बच्चों से कहा कि महात्मा गांधी महान थे। उनकी अहिंसा की नीति जीवन के हर दौर में मायने रखती है। विश्व के सभी देशों को उनके सिद्धांतों से सीखने को मिला है। वह हमेशा शांति और अहिंसा की बात करते थे और चाहते थे कि लोग इसका अनुसरण करें। ऐसे में उसके लिए शांतिपूर्ण अंतरिक्ष परियोजना का हिस्सा होना गर्व की बात है। उसने खुद को यूनिवर्स का नागरिक बताया और कहा कि वह भारतीय संस्कृति को अंतरिक्ष तक लेकर गई।

कल्पना के पद चिह्नों पर

अंतरिक्ष के क्षेत्र में कॅरियर के एक मोड़ पर कल्पना चावला से प्रेरणा लेने वाली सुनीता ने कहा कि वह उसके पद चिह्नों पर चल रही है। उसका प्रयास उसके अधूरे कार्यों को पूरा करने का है। उसने इस बात पर प्रसन्नता जताई कि भारत अंतरिक्ष के क्षेत्र में तेजी से आगे बढ़ रहा है।

बॉक्स

दुनिया भले ही सुनीता के छह महीने के प्रवास को कठिन कार्य के रूप में देख रही है, लेकिन जानते है, स्वयं सुनीता इसे क्या मानती है? महज एक समर वैकेशन। मुंबई आईआईटी में ऐसा कहकर उसने सबको आश्चर्यचकित कर दिया।

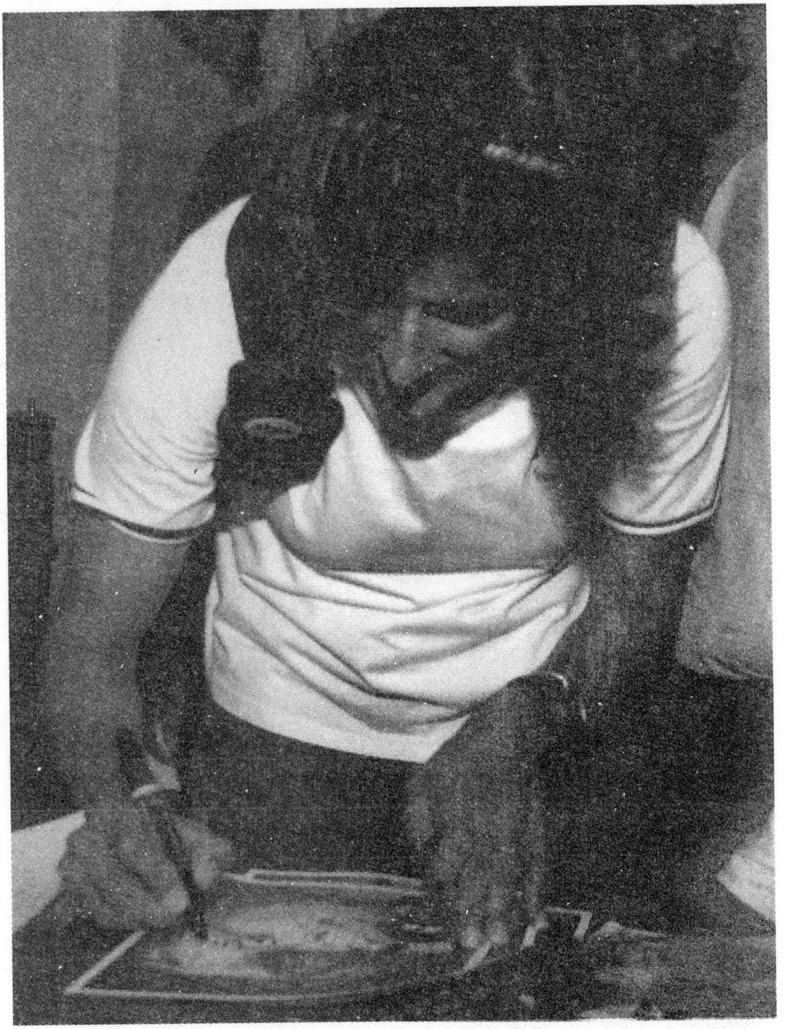

अपनी ही तस्वीर पर ऑटोग्राफ

उसने कहा कि भविष्य में अंतरिक्ष केंद्र को पर्यटकों के स्टॉप के रूप में परिवर्तित किया जा सकता है। उसने साथ ही ज्यादा से ज्यादा लोगों के अंतरिक्ष में भेजे जाने की बात भी दोहराई। हालांकि अंतरिक्ष

केंद्र वर्तमान समय में इसके लिए तैयार नहीं है, यह एक प्रयोगशाला बनकर रह गया है।

सुनीता ने कहा कि अंतरिक्ष यात्राओं का उद्देश्य ग्लोबल (वैश्विक) होना चाहिए। उसने स्पष्ट कहा कि ऐसे मिशनों पर अंतरिक्ष यात्रियों के लिबास पर राष्ट्रीय प्रतीक के स्थान पर धरती का प्रतीक लगाया जाना चाहिए।

• • •